新　潮　文　庫

なんくるない

よしもとばなな著

新　潮　社　版

8197

目次

ちんぬくじゅうしい……7
足てびち……53
なんくるない……79
リッスン……227
あとがき……255
文庫版あとがき……259

なんくるない

ちんぬくじゅうしい

ちん ぬ くじゅうしい

あんまー たむのー
煙《きぶ》とんどー
煙《きぶ》しぬ 煙《きぶ》さぬ 涙《なだ》そーそー
よいしー よいしー 泣くなよ
今日《ちゅう》ぬ夕飯《ゆうばん》 何《ぬう》やがてー
ちんちん ちんぬくじゅうしいめー
父《すう》が 畠《はる》から 戻《むど》ぅみそち
シブイにチンクワー
チデークニー クーフチンムぬ
煮とんどー 豆腐臼《うし》ぬ
みぐとんどー
くんくん くんすう七まかい

（里芋の炊《た》き込みご飯）

お母さん 薪《まき》が
煙たいよ
煙が煙たいの 涙が流れる
よしよし 泣くなよ
今日の夕飯 なんだろうね
里芋の炊き込みご飯だよ
お父さんが畑から戻ってきたよ
冬瓜《とうがん》にかぼちゃ、
島人参《にんじん》、 粉ふきいもが
煮えているよ 豆腐臼《うす》が廻っているよ
「これでおわり」と言いながら
七回もお代わりをしたよ

爺《たんめー》バーキや　荒バーキー
スルガーニクブク　サギジョーキー
やふぁら米《ぐみ》から　うさぎりよ
爺《たんめー》しらぎぬ　美《ちゅ》らむぬやー
トートー　トーカチ大祝事《まぎすうじ》
三良《さんだー》まぶやー　うとぅちゃくとぅ
前田《めんた》ぬハーメが　アートートゥ
花米《はなぐみ》ちゅしじに　さきちゅちぶ
三本《さんぶん》うこうとぅ　塩《まーす》ぐわー
トートゥ　トートゥ　アートートゥ

ものを運ぶための粗いざるや、台所にさげるかごとか
おじいさんの作るざるは　いろいろな種類があるよ
柔らかい米からあげましょうね
おじいさんの白髪はきれいだね
八十八歳の大きなお祝いだ
三良が魂を落としてしまったから
前田のおばあちゃんがお祈りしてくれた
花米一粒に　酒の杯
三本のお線香と塩で
トートゥ　トートゥ　アートートゥと　お祈りしてくれた

（意訳。協力　波照間良美さん）

宿の車が迎えに来てくれたのを、家族みんなで確認した。あ、あそこに見えてる、本当だ、宿の名前が見える、そういう感じではしゃいで指さした。スピードを落とす船のデッキから、島の港が見えてきた。波は静かにゆらめき、真っ青な海の色をきわだたせた。

出迎える人々は郵便や物資を待ってにぎわっていた。人々の後ろには濃い緑を抱いた青い空があった。夏が終わりかけているのに、真昼の光は全く勢いを失わずぎらぎらとおばあさんたちの麦わら帽子の上に降り注いでいた。畑仕事を終えたおじさんたちが発着所の売店の前にたむろして、ジョッキでビールを飲んでいた。子供たちは知り合いを出迎えに争って港のまわりを走り回っていた。

そんなににぎやかな風景なのに、全体が奇妙な静けさに覆《おお》われていた。

音のない映画みたいに、その青すぎる空が何かを吸い取ってしまうような感じがした。

ゆっくりと船はすすみ、激しいエンジン音が止まったとき、その静けさはますます勢いを増してきた。無音の世界に吸い込まれていく、海の底よりも深く、宇宙にまで届いていきそうな、しんと広がる星空みたいな静けさ……。

今思えば、それが私の平凡だった少女時代最後の家族旅行だった。

そう思って思い返すと、なんていうことのない旅なのに、そのひとつひとつが鮮やかに思い出され、ささいなできごともすばらしいシーンに思えてくる。

母は帽子のつばをずっと手で押さえていて、その白いふちの向こうに島の木々が見えた。父は買ったばかりのカメラでずっと写真を撮っていた。ふたりの白いTシャツのすそがはためいて、目にしみるようだった。

なんだかよかったなあ、あの港に入っていくときの気持ちは……とあとで私は老人のように何回も思い出した。何かが始まる前のどきどきした感じと、静けさとの奇妙な対比があった。そのバランスは静物画に描かれたもののようで、じっとそれぞれの場所でうずくまっているのに確かに生命の力を放っていた。

すべての生き生きした感情はあの島の持つ圧倒的な静けさの力に吸い込まれ、無音になった。その無音の中には永遠があった、そういう感じがする。

宿の部屋にはぺったんこのふとんが無造作につみあげられていた。陽に焼けた古い畳からは干し草みたいな匂《にお》いが立ち上っていた。窓の外には畑が見えた。父と私と母はしばらくその暑さに呆然《ぼうぜん》として、荷物を投げ出して黙ってすわりこんでいた。

「こんなに陽があたったら布団《ふとん》を干す必要はないわね。」

外にいるみたいに目を細めて、畳に足を投げ出して母は言った。

「部屋にいるのに日焼け止めぬらなくっちゃ。足がまだらに焼けちゃってだいなしだわ。」

そういうちょっと皮肉な物言いをするときの母は眉間《みけん》にかすかなしわを寄せ唇のはじをあげて、粋《いき》な感じに見えるので好きだった。

「ほんとうだな。あ、牛が見える。牛も暑そうだな。」

父が窓の外を見ながら言った。

私はふたりのだらけたやりとりに退屈して、「手を洗ってくる！」と言って廊下に飛び出した。廊下はうす暗く、目が慣れなくて真っ暗に見えた。洗面所で冷たい水に触れて生き返ったような気持ちになり窓の外を見上げたら、変なものが見えた。白くて大きな翼のようなもの。

私はじっと窓の外を見た。そこには白い風車があった。近代的な風力発電の、かっこいいデザインの風車だった。同じリズムでぐいん、ぐいん、と回っていた。青い空に映える真っ白な羽根が光を受けていた。

その光景は幻想的で、まるで夢で見る景色のように、私を一種の催眠状態にした。暗い洗面所から見る明るい光と一定のリズムを刻む風車。

今もその光景を思い出すと夢を見ているようなぼうっとした感じになる。

夢……少し退屈で甘く切なくとんちんかんで、永遠に続くかと思われた平和な家族の夢。まだ子供の時だけに感じる独特の世界の味。果実みたいにもいでももいでもなくならなかった、家庭の雰囲気。飽きるほど泳ぎ回ってもまだ広かったあの家は、たったふたりの不安定な男と女が作っていただけのものだったということを、大人になって知りきっと誰もがく然とすることになる。

でもその時の私は、まだ中学にあがったばかりだっただろうか。まだ細い足と腕で、たっぷりと、陽を受けるようにその人たちのエネルギーを受けてはひまわりみたいにのびていった。そんなふうにいられるのは人生でほんのわずかだということも全然知らない、贅沢《ぜいたく》で無邪気な時期だった。

その旅のことは、断片的にしかおぼえていない。私にとってその旅を象徴する光景は何よりもあの風車だった。

宿の周りのどこにいても、風車はじっと私を見ているように思えた。

振り向いて見上げると、いつも大きな空を背景に風車がまわっていた。奇妙にゆっくりとしたリズムで確実に回り続けていた。

その光景を思い出すと、ぼんやりとその背景に思い出が浮かび上がってくる。

三人で夕方の道でアイスを食べたこと……道がオレンジ色にそまっていた。ふくぎがたくさん植わった民家の庭先で犬とたわむれたことや、港にお昼を食べに行って、船を見ながら汗をだらだらと流してソーキそばを食べたこと。夜中に宿の洗濯機を回す母の後ろ姿。毎日遊び疲れて電気を消すともうすぐに寝てしまったこと。まだ眠くて目をこすりながら起きていくと、宿の食堂には活気がありあたたかい湯気がたっていて、なんだかやたらにいい匂いがして、毎日朝ご飯のメニューは何かとわくわくしたこと。

毎晩星空の下をてくてく歩いて同じ店に行って、父と母はお酒を飲んでおつまみを食べ、私はかき氷やチャイを頼んだこと。お店の人たちがもてなしのために、歌と三《さん》線《しん》で毎日島の歌を歌ってくれた。言葉がわからない私のために、父が歌詞を耳元で訳してくれた。

この歌は昔ながらの家族のありかたのすばらしさを歌っているんだよ、と父は言った。

私がなによりおぼえているのは、その時、優しい声でそう言っている父を見る母の目が、ものすごく悲しそうだったことだ。

歌の中にあるような昔ながらの島の生活も、きっともう失われつつあるのだろう、それはそれを歌ってくれた店の人たちの口ぶりでなんとなくわかった。そんなふうに家族が家族として安全だった時代が、もう変わって行きつつある……それは日本中のどこにいっても同じだ。みんながいっしょに住んで、お父さんとけんかしたらおばあちゃんのところに行ったり、夫婦げんかはおじいちゃんの一声でおさまったり、うまくいかないこともみんなでごはんを食べたらいつの間にかなくなってしまったり、子供が産まれてもみんなで育てていけばよくて、誰かの欠けている性質を必ず誰かが持っていて、誰かを失えば誰かを得て、みんなの力を合わせてやっとひとりの大きな人間みたいなものが成立していく実感……それが失われていく時代に私たちは生きていた。そしてまた、大きな自然の中に小さな家族があり、そこで生かされているという畏敬《いけい》の念も、毎日の雑事に追われてわからなくなっていく。そういうもう止めることのできない流れを見ていることしかできない哀《かな》しさが、店の人のか細くて優しいのにどこか力強い声に混じって幼い私の胸を打った。

それは母も同じだったのだろう、今思えば。

核家族の苦しみ……この世に三人しかいないみたいで、なんだかそのことが心細くて全然楽しくなくて、もう母方のおばあちゃんは死んでいたし、おじいちゃんは田舎で他の親戚《しんせき》と暮らしているし、父方のおじいちゃんとおばあちゃんと母は全然気が合わないし、これから私がいろいろなことを経験して育っていく過程で母を助けてくれる人はもう誰もいなくて……歌の中の家族の光景に、母はうっとりと聞き入ってまるで子供に戻ってそこに入れてもらいたいと祈っているように見えた。母は、今、幸福ではないんだ、心細くて寂しくてしかたがないのだと、私はぼんやり思った。歌に合わせてリズムを取りながらも、母は遠くを見ていたし、とても小さく見えた。でも私はこの大切な歌を、たしかにかけがえのない「私の」家族全員でいっしょに、すわって聞いた。まるで小さい儀式みたいに、じっと耳を傾けて、家族のちぎりを交わしたみたいにしみじみといっしょにいた。そのことの確かさは私の中でずっと生き続けている。耳の奥にまだそのきれいな歌声と三線の響きが、切ないメロディが残っている。

もうひとつの印象的な場面は、海辺でのちょっとしたできごとだった。私たちは毎日のように海に行った。飽きもせずに遠浅の珊瑚礁《さんごしょう》で色とりどりの魚たちの生活をのぞかせてもらった。中腰の姿勢でサンダルをはいたまま、海の中をどこまでも歩いていって水中めがねでのぞきこむと、魚たちは逃げることもなく食べ物を探したり、群れ同士で出会って向きを変えたり、さっと岩陰に隠れたりした。その色の鮮やかさ……黄色や青や赤が珊瑚の世界にまみれていた。疲れて顔をあげると、いつも父と母が手を振ってくれた。

ニシ浜には拝所《うがんじゅ》になっているところがあり、花や酒や塩をたずさえて祈りを捧《ささ》げる人たちを何回も見かけた。大きな岩の上に捧げものを置いて、みんなそこの前にすわって、海の方にむかって一心に祈っていた。目を閉じて、夫婦でいっしょに、あるいは親子で並んで。そして順番に、不器用な足取りで岩を降りていった。

何回かその姿を見て、父に説明を求めた。父は言った。

「そこの岩の上みたいな場所は特別で、島の人々にとって神様がおりてくる場所なんだよ。そういうところがあちこちにいくつもあるんだ。そこの岩の上もきっとそうなんだね。そこにいろいろな捧げものをして、お祈りをすることを『うがん』っていうんだよ。」

母はある午後、暑いのにきちんとシャツを着て、岩の上で海の方に向かってうがんをする人たちをじっと見つめてこうつぶやいた。

「あんなふうに熱心に、自分以外のものに対して、疑いなく祈りを捧げられるなんて、なんてすばらしいことでしょう。」

母はサングラスをかけ、ビーチサンダルをはいた足を投げ出し、つばの広い帽子をかぶっていた。そして白い長袖《ながそで》のシャツを着て、下には黒い水着を着ていた。私たちは亀《かめ》せんべいと黒糖をつまみながら、クーラーボックスに入れた飲み物を飲んでいた。ビールやジュースの缶も汗をかいていた。父は少し酔って、遠くの海と空を見ていた。海は青と緑にきれいに分かれて続いていき、どこまでも透明だった。白い砂に風が紋様をつくって、透けた水にずっと伝わっていた。波音は静かに絶え間なく続き、浜辺の砂を洗い続けた。

私は子供だったのに、どうしてそんなことがわかってしまったのかわからない。きっと、あの島を包む独特の、頭がきーんとなるような静けさが、私の感覚に何か影響をおよぼしたのだろう。静けさの中で、海に浮かんでくる細かくて透明な泡のように私の中にはそのとき、ぼんやりとだがたしかに、こうなんだろうな、と思えることがあった。

ああ、お母さんはここで、お父さんに聞いてほしいんだ。「そんなふうに祈ったことがある?」と。もしくは「そういうふうに祈りたいことがあるの?」か。

私は、私がそれをお母さんに聞いてあげようかな、と思い、ふと顔をあげた。しかし海を見つめる母の横顔を見てまたも悟った。私ではだめなんだ。ここは、お父さんが、言うべき場面なんだ。そしてお父さん以外の誰にもそれはできないんだ。まるで、ゲームに出てくる重要な呪文《じゅもん》のように、今、この場所でこの時、お父さんが言うしかない質問なんだ。

しかしお父さんは黙ってビールをぐいと飲み、亀せんべいをぼりぼり食べて、足下の砂をさわっているだけだった。このパラソルの下で、家族三人で海を見ているのに、お父さんにはどうしてもなすべきことが伝わらないのだ。

そうすると何かきっと、とりかえしのつかないことになってしまうに違いない、と私は思った。私はとてもこわかった。

これから起きることへの漠然とした不安、それだけではなくて人がそうやっていくつものことをとりのがして生きていってしまうこと……まるで手につかんだ砂がさらさらと指の隙間《すきま》からこぼれていくように、すくってもすくっても追いつかない、人と人との関係というものの広さ大きさに絶望を感じたのだと思う。

母は待っていた。父の質問を。

それは、母の頭の中にいる、母に興味を持ってくれ、あれこれと質問をし、母の心をひきつけようとした出会ったころの父。そして理想の男。この世にいるはずがない全《すべ》ての男性であり、母が幼い頃窓辺で夢にみた全ての、いるはずのない王子さまのしてくれるはずの質問だった。もちろん父の中にその人物はちゃんと存在してはいるのだが、それはもはや「この広い宇宙空間には宇宙人がいないことはありえません」というくらいにかすかな部分で、恋をしているときほど必要にかられることがなかったのですっかり眠ってしまっていた。母は純粋すぎて、その事実をどうしても受け入れることができなかったのだろう。母と私を包む父の、別の次元の愛情を発見することができなかったのだろう。

仕方なく母はひとりで質問の答えを話し始めた。

「私もああいう気持ちで祈ったことがあるのに。」

父はちょっと顔をあげて、うなずいた。

「一回目は、熱が四十二度出たとき。大学一年生の時だった。私は一人暮らしをしていて、夜中に寒くて寒くて目が覚めた。自分に熱があるってどうしても気づけなかったから、何が起こったかわからなかったの。頭がぐるぐる回っているし、どうしてか立とうとしても立てないし、動くと吐き気が急に襲ってくるし、なんだか胸がいっぱいになって水も飲めないの。でもとにかく救急箱のところまで行ってアスピリンを飲んで、水も飲まなくては、って頭では何回も思うんだけど、体をちょっと動かすだけでめまいがして、のどが痛んで、寒くて寒くてどうしても動けなかった。結局這《は》うようにして何とかふとんを出て、薬を飲んで、氷を氷嚢《ひょうのう》に入れて、倒れ込むようにして眠ったら熱は下がったんだけど。今思うとばかみたいだけど、あの時は、必死。もうお母さんは死んでいたのに、『おかあさん』っていう言葉が口をついて出てしまうの。お母さん助けてって。たいした病気じゃないのに、そう言うと、なぜか涙が出てしまうの。体を動かしてそのひとつひとつの面倒くさい動作をすることに、私は全身全霊を注いで、その頃悩んでいたことも自分の性別も年齢も外見も何もかもが一切消え去って夢中だった。這って、あの冷蔵庫の前まで行って、次は冷蔵庫の上の薬箱を開けて、そして……って全ては順番に、慎重に、集中して考えられていた。そしてそれを実行することに自分の全部を使い果たすみたいな感じ。あんなに何かに集中したことを、今は懐《なつ》かしく思うな。」

　父は黙って聞いていた。私も目を閉じて寝ているふりをして聞いていた。閉じたまぶたの裏にオレンジ色の光が踊っていた。

「それから、次はそれにそっくりなこと。この子がすべりだいから落ちて、頭を切ってすごくたくさん血が出たとき。落ち着くことだけに全部の神経を使い、手足をきちんと動かすために必死で、しかも祈りの言葉がずっと頭をぐるぐる回っていたわ。まわりの人はたいしたことないって言ってくれて、それがほんとうだってわかっているのに、頭の割れたところを見るたびにどんどん悪い考えが、どしゃ降りの雨みたいに頭の中から出ていかなかった。血の色、奇妙に濃くて、匂《にお》いがした。でもその時はこわくはなかった。あとは、あなたが胃潰瘍《いかいよう》で倒れて救急車に乗って夜中に病院に行って、精密検査の結果が出るまで。もしもガンだったらどうしよう、って思った。でもそれでも、死ぬ瞬間までは、生きているって自分を励ました。死ぬ瞬間はほんの一瞬で、その前の瞬間まで、ずっと長い時間がまだ私にはあるんだ、と思った。死んでないのに死ぬ瞬間のことを考えるより、目の前で生きているあなたのことを考えようと思って必死で祈った。自分に強さがほしかったの。」

「死んでないよ、ただの胃潰瘍だったじゃないか。」

父は笑った。

「なにもかもうまくいきすぎていたから、こわくなったのよ、あの頃。」

母もやっと笑った。私はうすく目をあけた。空を雲が静かに流れていくのが見えた。母は白い歯を見せて、前髪を風に揺らしていた。

「命に関わることがあると、生きているって感じがするのかな。あの時俺もあんまり胃が痛くて、必死だったよ。祈るひまもなく救急車の中を冷静に見てる自分がいたんだよね。ああ、そこに酸素があるな、とか病院ってすでに決まっているものではないんだな、無線で話して決まるんだな、そのくらい必死で駆けつけてくれるものなんだな、とか。運転手は赤信号突っ切るときこわくないのかな、とかね。その時考えたことを妙にはっきりとおぼえている。きっとこわいのをごまかそうと必死だったんだろうな。」

父は言った。さすがに母というこのむつかしい女性を愛して結婚しようと思っただけのことはあり、かなりいい答えかただったかもしれない。でもちょっと遅かった。母の心はもう閉ざされかけていた。太陽が雲に隠れて光がさっとかげるように。

母は言った。

「ほんとうはきっと、この世は命に関わることで満たされているのよ。そして、それを感じるのがこわくて、みんな、知らないふりをしているんだわ。救急車の中のあなたみたいに。」

それはちょっと父にはむつかしすぎたみたいで、彼はちょっとうなずいて黙ってしまった。そしてしばらくしたら眠ってしまった。かすかないびきが聞こえてきて、母は父の陽に当たっている足の部分にタオルをかけてあげた。そして目をまぶしそうに細めて、きれいな色の層に分かれて透明にゆらめく海辺をじっと見つめていた。

この世の祈りは、みんな、ほんとうはいるのに見えなくなってしまったある概念のために……たとえば母にとっては父の中に見つけた理想の男性像や、父にとってはこんなに気むずかしく考え深くなくてただ勝ち気で陽気だった母の姿や、ほんとうはわかっているのに子供だから子供のふりをして黙って浜辺で遊んでいる私みたいな、そういう存在に捧げられているのだと、私はその時、言葉にはできないながらも感じていた。そしてなんだかとても悲しくなった。目の前に広がる景色があまりにもきれいすぎて、その透明な水の中に住んでいる魚たちの色がまるで宝石みたいに海にちりばめられているさまも、空と海が混じることなく似た色でどこまでも続いていることも、悲しく思えた。光の中で私は思った。この悲しい感じは姿を隠していても、この世がこんなにも美しい限り、いつまでもどこまでも続いていくのだ。そのことさえも巨大な美しさの中に飲み込まれていってしまう。

そこにいるのに会えない理想のかたちを求めてはじまるのが祈りというものなら、

人間はなんて傲慢《ごうまん》なのだろう。そしてただ感謝を捧げるのが祈りなら、人間はどうしてそんなに気楽すぎるのだろう。

そういうふうに感じたのだ。

島を去って本島についてから、私たちは父の妹、今は沖縄の人と結婚して那覇《なは》に住んでいるおばさんのところに遊びに行った。

母はおばさんから聞いたうわさ話で知ったすごくあたるというユタのところを興味本位でたずねていった。

父と私は、その間市場で遊んでいた。父はそんなことに興味がなかったし、私はこわいからいやだったのだ。

市場はもう活気のある時間を終えてがらんとしていて、暗く感じられるコンクリの床にござを広げて座っているおばさんたちがおしゃべりをしたり、かごを編んだりしていた。父と手をつないで、私はいろいろな果物を味見した。ドラゴンフルーツ、マンゴ、パパイヤ……。海の中の魚のように色とりどりの果物の甘い味。おみやげにいくつも、持ちきれないほど買った。それからサーターアンダギーや、たらし揚げや、かまぼこや……おいしい揚げ物もたくさん買った。

商店街のほうではかつおぶしや亀せんべいや黒糖のお菓子や、おいしい塩も買った。魚市場ではいらぶや青いぶだいや豚の頭に驚きながら、海ぶどうやかつおの入った味《み》噌《そ》を買った。珍しくて楽しくて、父と私ははしゃいでいた。私たちがあんまり楽しそうなので、市場の店の人たちもみんな笑顔になって、次々といろいろなものを勧めてくれた。持ちきれないほど、食べきれないほどの食べ物を夢中で選んだ。まだ行われていないすばらしい晩餐《ばんさん》や宴会のために。

私たちは「お母さんとおばさんが喜ぶものを買っていこう」という純粋な目的を持っていた。たとえそれがくだらない、ひとりよがりの思いでも、たしかにそこには愛情があった。何かおいしいものを口にするたび、父と私の頭には母とおばさんの笑っている顔と、おばさんの家の台所と、みんなで囲むはずのテーブルの姿が浮かんだ。それが程度の低い感情だと誰に言えただろう。食べて、息をして、人間はぐんぐんと生きていくのだから。

しかしおばさんの家に戻ると、母はなんだか興奮した様子で必死におばさんに話しかけていて、私たちが次々にいろいろなものをテーブルに出してもいまひとつ大喜びしてくれなかったから、私はがっかりした。おばさんだけは「いっぱい買ってきたね！　もうご飯作らなくっていいね！」とびっくりして笑ってくれた。

　それでもやがてオリオンビールを飲みながら、午後の光がいっぱいに入ってくるおばさんの家の雑然としたリビングでワイドショーの音を背景に、母はすっかりご機嫌になってけらけら笑いながら海ぶどうをつまんだり、おいしい！　と言ってはサーターアンダギーをほおばった。ドーナツよりずっとおいしいね！　と私に笑いかけ、父は亀せんべいと塩とかつお入り味噌でのもろきゅうで泡盛を飲み始めて、幸福な午後が夕方に向かってゆったりと流れていった。ドラゴンフルーツは白くてちょっとごまに似た種が入っていて、何とも言えないおいしい味がした。こんなものが育つんだから、なにもかも内地とは違うはずだとおばさんがすっかり地元の人のように話していた。変な時間に飲んだり食べたりすると、うんと楽しいね、と今思えば見知らぬ土地に嫁いで淋《さび》しかっただろう彼女もまた、久しぶりの団らんに満たされていたのだろう。

　ものすごく楽しかった。将来のこわさも不安も旅の疲れも日に焼けてむけた皮の痛みも全然気にならないほどに。

私は母みたいに祈った。たとえこういうすてきな時が過ぎ去っても、いつかまた来ますように。なぜなら私は今、生きていると感じているからです。私の心にある拝《うがん》所《じゅ》で、何か大きな存在に向けて、ひっそりと祈った。

ホテルに帰って、もうおなか一杯になっていた私は寝てしまった。父や母も夕食もとらずに眠る支度をはじめた。旅のいいところはこういうでたらめができるところだった。きちんと暮らす以外の暮らしは、たまにするとすごく楽しい。私は満足して、両親のたてる物音を子守歌にして眠りの海を泳いでいた。

目が覚めたのは、何かいやな気配を感じてだった。

真っ暗な部屋の中で、寝苦しいような感じがして私は細長いエキストラベッドではっちりと目を覚ました。日焼けした肩がぱりぱりのシーツにあたって痛かった。窓の外に車が通り、光が映った。灯台の光のように部屋をぐるりと照らしていった。向こう側の部屋には父と母が眠るダブルベッドがあり、ふたりは起きて、何かぼそぼそと話していた。その雰囲気は決していいものではない感じがした。母が何か押しつけるような、物言いをしているのが感じられた。

「前から思っていたのよ、あの、庭先の、池がね、全部いけないっていうの。」

「そういうのってたしかにあるとは思うけど、極端すぎないか？」

「でもすごくぴったりきたのよ、私には。」

「いや、もちろん君の気がすむなら、工事するのはいいと思うよ、でも、その考えを全部に持ってくるのは……」

「でも自分ではどうしようもないことって、あると思うの、目に見えない法則が……」

何の話かよくわからなかったが、いやなことが始まっているのだけはわかった。そういうことはもちろんよくあった。でも今回の母は妙に自信があって、堂々としていて、そういう母自身を本人がとても気に入っているような感じがした。それが父をものすごく不快にさせているのも伝わってきた。なんだかいやな感じだ、と私は寝返りをうって思った。トイレに行って、ふたりの話を中断させようか、それともこのまま寝てしまって、朝、何事もなかったようになっているのを祈ろうか……葛藤《かっとう》しているあいだに私は寝てしまった。

翌朝、ふたりは何事もなかったかのように笑って紙コップのコーヒーをいれていた。私にはオレンジジュース。朝の光の中で、動き出したばかりの那覇の町が全《すべ》て、コンクリでできた建物も渋滞する車の列も、くすんで見えた。ふたりは普通に荷造りをしたり、髪をとかしたりしながら、朝の時間を過ごしていたので私はほっとした。

でも、やっぱり何事もなかったわけではなかった。母の中にくすぶっていたある雰囲気が、形を得てしまってどんどん力をつけていった。そのはじまりがたまたまそのできごとだったのだろう。


一回、流れができてしまうと、それにそって人間の縁というのが新しくつながってくるものだ。ユタに見てもらったのがきっかけで、母は東京でもそういうことに似た縁を探し求めはじめた。新しい母、生まれ変わったと思っている母の考えを満足させる何かを。

母は毎週日曜日に、ボランティアのようなことをはじめ、駅や公園や高尾山《たかおさん》などにごみを拾いにいくようになった。新しくできた友達と連れだって、朝六時くらいに起きて、大量のおにぎりなどを作って、元気よくでかけていくのだ。

私は日曜はたいてい近所の友達の家に朝から遊びに行って夕方まで夢中で遊んでいたし、父は店をやっていて日曜もあけていたので、日曜のその外出をそんなに気にとめなかった。むしろ、特に飲食店が混む日曜の夜に疲れて帰ってきても母の相手をしなくてよくなったので、黙認していたように見えた。

しかしほんとうのところ、この外出の回数と比例して、いつのまにか母は私たちの手の届かないところに行ってしまった。どこか、空気が動かないところ……真空で、きりっと何かが固定されパックされていて、うろうろしたりおろおろしたりすることのないところに母は住んでいて、それは私のいる空間とは全然違うところのような感じがした。

私はふとしたとき白い風車がぼんやりと心に浮かんでくるたびに、あの旅の楽しかったところを思い出した。母は部屋にいる虫をこわがったり、洗濯物が乾くのが速いのに驚いたり、闇《やみ》におびえながら手探りで夜道を歩いたり、父と私がはしゃぎすぎるといらいらしたりしていたが、瞳《ひとみ》はいつも水をたたえているように揺れていた。今はそういうことがなく、いつも優しいし笑顔も絶やさないのに、目は固定されていつも遠くを凝視しているようなのだ。

悲しみが、私の幼い心にどんどん満ちてきていた。その悲しい感じは思い出とか未来とかに向けられていなくて、母を見るたびに、その微妙な変化に心が揺れて何か大きくて暗いものがのどにこみ上げてくる感じだった。母のおなかの中にいたことがあるのは家族で私だけだった。父は違う。だからまだ変化が微妙なうちはわからないのだと感じた。もしも私がまだ母のおなかの中にいたなら、きっとなんだかわからない毒が空間に満ちてきたように感じて、苦しくてしかたなくなっただろう。

母の一番親しくなった新しい友達というのも私は気にいらなかった。それは大きく太ったおばさんで、交通事故で夫と子供を同時に失って、本人もまだリハビリ中だという人で、かすかに足をひきずって歩いた。大変なことだし、気の毒だし、なんだかえらいなあと素直に感じたのではじめは好きになろうと努力したけれど、母があまりにその人にいれこんでいるので焼きもちが勝ってしまった。

ふたりは午後の部屋でお茶を飲みながら、わけのわからないまずい粉の味しかしないお菓子をありがたそうに食べながら、この世のよきことについて真剣に語り合っていた。その話の大半をよくおぼえてはいないが、すごく抽象的で、普通にはわからない暗号みたいな特別な単語がちりばめられていて、私には全然よきことに思えないことばかりだった。

一人っ子だからという理由で、家にいるたいていの時間を母と楽しく遊んでふたりだけで過ごしていた私の時間が急に変質していった。母は前にもたまに友達を呼ぶことがあったが、そういうときは甘すぎるお菓子を食べたり、たくさんのパスタを思い切りよくゆでてワインを飲んだり、そのあと友達も母もだらしなくうたた寝したりしていた。その時の方が、私は好きだった。東京にいると自然がないから、海で泳いだりするかわりにそういうはめをはずす気持ちがあって、それがまるで朝焼けや夕焼けのように、日常に色をつけてくれるんだという気がしていた。

でもそのおばさんと母の遊び方は、まるで授業か演技のように見えた。

私はその状況が気に入らなくて、何回かそのおばさんにやつあたりをしたことがある。泣いたり、怒ったりして、不快を訴えた。すると、何があってもそのおばさんは、ぐっと受け止めてくれた。優しく私をさとし、頭をなで、涙が出るくらいにほんとうに心がこもった様子で私のいいところや今の状況のいいところを静かな声で話してくれた。にっこりと笑うその顔には邪心というものが全くなくて、ああ、この人はほんとうに大きな人物だと感じさせられた。それでも、もしもこの人が普通にしていて、なんのよりどころもなくおろおろしていて、たまにはだらしなく酔っぱらったり、やつあたりして怒ったりしてくれたら、どんなにいいだろう、と私は思った。そうしたらこの人のことを本当に好きになれるのに。

でも、そのおばさんはやっぱり瞳が固定されていて、絶対に自分を失ってはいけないと、見えないひもでくくられているような感じだった。ゆとりがない、臨機応変という感じがしない、そう、今ならいろいろな言葉が思い浮かぶけれど、その時はその「動かない」感じがただただ悲しく思えた。ちょうど、ファーストフードのお店でちょっと意外なことが起こったとき、店員さんがマニュアルしゃべりから普通の人間に戻るまでちょっと間があるように、おばさんは二十四時間ある決まり事にのっとって生きていて、それが長く続いたことですっかり型になって、生身の人間に戻れなくなってしまったようだった。

人間だから、弱くて、そうしないと強いふりができないのだ、よき人でいられないのだ、ということはよくわかった。でも、そのおばさんのいいところを見れば見るほど、私は悲しかった。ちょっとくらいいやな人でもいいから、こうなる前のその人に会いたかった。この人の中にあるこの懐《ふところ》の深さは、そのときもすでに、絶対にあったはずなのだ。そうでなくては、いやだと思った。

でもつらいことがあったのに、そんなに人の面倒を見て、優しくて明るくてしかもいいことをしている人を悪く考える自分がいけないような気がして、私の心はどんどんねじくれていった。

私がものを食べなくなった頃、鈍い父ははじめて全《すべ》ての異変に気づいた。母はますますかたくなに、この世の今目に見えている姿は全部まぼろしで、自分にはほんとうのところが見えていると言い張った。そのほんとうのところが現実の世界に反映されるまでは、ずっと今の活動を続けると言った。まるで催眠術にかかっている人みたいに、ゆるぎなかった。母の貯金がみんななくなっているのにも気づいた。それからは速かった。父と母は別居することになり、私はしばらく、ものごとが落ち着くまで那覇のおばさんの家にあずけられることになった。

はじめの頃私はやっぱり何も食べられなかったが、ある午後おばさんが昼寝の前にちょっとつまんでいたたらし揚げを一口もらって食べたら、すごくおいしく感じられた。塩の味、魚の味、ひとだまみたいな変な形のその食べ物は、揚げてからずいぶん時間がたつのにおいしくて食べるのが止まらなかった。おいしいでしょ！ とおばさんが笑い、私は夢中で食べた。足りなくていっしょに買いにいったほどだった。みんなにおばさんは私を「私のつくったごちそうよりも石垣《いしがき》名物たらし揚げが好きな子」と紹介したので、近所の人はみんな市場に行ったり石垣島に行くたびにたらし揚げを買ってきてくれるようになってしまった。

だから私は、今でもたらし揚げを見るたびにちょっと胸がきゅんとなる。

おじさんとおばさんはけんかもするけどうまくいっていて、その様子は私をホームシックにたびたびさせたが、そこで暮らすのは居心地が悪いことではなかった。子供がいないふたりは私にとても優しかった。このメンバーでずっと暮らすわけではないとみんながわかっていたから、思い出を作るためにもっと優しい気持ちになっているのだった。それは、家で母とあのおばさんが私に見せていた「永遠に続くから優しくあれ」というのとは全然違う、生きていることの不確実さをしっかりとふまえた、切ない優しさだった。明日どうなるかわからない、今いっしょにいる人に優しくあろう、でもできる範囲でね、という感じがかえって私をゆったりとくつろがせた。

そうして、秋なのに強い陽射《ひざ》しやアカバナのきれいな布のような花びらをベランダから見ていたら、なんだかちょっと外に出て遊びたいような気がしてきた。はじめは国際通りを散歩するところからはじまって、地元の遊び友達ができる頃にはもうすっかり大丈夫になっていた。母が恋しいのは変わらなかったし、ひまを見ては父がやって来るのを楽しみにしてはいたが、それとは別に自分の人生というものの持ち味が、勢いのいい陽光と共にはぐくまれようとしていた。

やはり何があっても、たとえ自分だけでもすごいたくましさで伸びていこうとする、そういう年齢だったということなのだろう。

ある午後、おばさんとふたりで散歩がてら市場に行った。私は大好きなアオバジュースを買ってもらった。みどり色をしているのにとても甘くて、果物の味がするのだ。小さなプラスチックの入れ物に入っていて、ふたがカップになっている。おばあさんがひとりで売っているその手作りっぽいジュースは、氷の入ったクーラーボックスに入っていたのできりっと冷たかった。私は嬉《うれ》しくてちびちび飲んでいた。

市場には毎日のように来ていたのに、その午後の空きぐあいと光のかげんやジュースの味……その組合わさったなにかが、あの日、家族で那覇にいたときのことを思い出させた。ああ、あの時はもうなにもかもがほころびかけてはいたけれども、父といっしょにだらだらとこの道を歩いたっけ。母が待っている姿をイメージして、いろいろな食べ物を買ったっけ。そういうふうに一回思い出し始めたら、あの、ニシ浜の夕方にさしかかるきれいな光や、夢の中のように回る風車のことまで生々しく思い出した。なんて遠いことのように感じられるのだろう。なんで私は今、家族と遠くはなれてこの市場にぽつんといるのだろう。

青い空がずっと続き、さとうきびの畑が背よりも高く茂り、どこまでも真っ白い道が続いていたあの島に行ったのが、もしかしたら、家族最後の旅行になってしまうかもしれないと、その時私は真剣に思っていた。

ジュースをちびちび飲みながら暗い顔をして待っている私に、果物を山ほど買ってごきげんな顔で戻ってきたおばさんは笑顔で言った。

「そんなにちびちび飲むほど好きなら、もっと買ってあげるよ、マンゴジュースも買ってやろうか？」

その優しい言葉が変に胸にこたえて、私は市場の暗がりでダンボールの陰にしゃがんだまま、泣き出してしまった。涙が止まらなくて、息が苦しくなってもまだどうしても泣きやむことはできなかった。

熱い涙がどんどんこぼれて、体が痛いほど力を入れてもまだまだ行き場のない感情があふれてきた。

「どうしたの、あんた急に……。」

おばさんはとほうにくれて、私の手を握った。

そして、私を立たせて、顔をふいて、肩を抱いて、明るい外へと連れ出した。橋のたもとに立ち止まり、汚い川を見ながら私はまだ泣いていた。もうどうしようもなかった。父でも母でもどうすることもできない、私は時間を巻き戻したかったのだ。

橋の両脇《りょうわき》には休憩時間に入っているもうさびれた市場の光景が連なり、まるで外国のような見慣れない場面をつくっていた。全てがなんとなく茶色と灰色で、向こうに見える空だけが奇妙にはっきりした青だった。行き交う人々の歩くスピードは遅く、時間が止まったようなけだるい感じが漂っていた。

「大丈夫、今はね、あんたのお母さん少しおかしくなっているだけだよ、きっとどこかでまぶいを落としてしまったのよ。」

おばさんは言った。

「まぶい？」

私は鼻声で言った。ジュースはすっかりぬるくなっていた。

「そう、こっちの人はそういう言い方をするよ。どこかできっと、魂を落としてしまったのよ。あんたのお母さんはとても純粋な心の持ち主だけど、そういう人が雲をつかむようなところばっかり見ていると、足もとがあやしくなって、どうしても足が地面から浮いたようになってしまうのよ。そうすると、ああいう人たちがすかさずやってきて、心を持っていってしまうの。漁師の網みたいにさ、心をすくいあげてね。ユタに見てもらうところで止めておきゃよかったのよ。でもああいう集団は目的を持って勢いよく来るからね。大勢の力で引っ張られたら、事故みたいなものだよ。どかんと車にぶつかったようなものだよ。」

「ど、どう……。」

私はまた泣き出してしまった。どうなるの？　と言いたかったのだ。

おばさんはちょっと待って、と言って走っていってしまった。私はああ、おばさんジュースを買いに行ってしまったと思ってちょっとおかしかった。そういうあわてた優しさが私をさっと明るい気持ちに切り替えさせた。

那覇に来る前の夜、真夜中に、眠れなくて母の寝床を見に行った。

家庭内別居はすでになされており父は居間のソファで寝ていたので、ダブルベッドには母だけが眠っていた。

真っ暗な中に小さな読書用のライトをつけて、母は最近いつも読んでいるなんだか安いつくりの小冊子みたいなものを読みながら眠ってしまっていた。父との関係がうまくいかなくなればなるほど、母がその本のページをめくっている時間が長くなった。まるで答えが書いてあるかのように。でも、答えは本から顔をあげたところにいっぱい、家の中のあったかい思い出といっしょにいっぱい転がっていたのに、母にはもう見えないのだった。

私は母のふとんにもぐりこみ、その甘い匂《にお》いをかいで母の背中にくっついた。母の背骨に鼻をあてて、おかあさん、と呼んでみた。すると母は寝ぼけてちょっと目をあけて、私がもっと小さかったときみたいにちょっと笑い、風邪ひくわよ、ちゃんとかけないとね、と言って私の首までふとんをひっぱりあげ、ぽんぽんたたいてまた寝息をたてはじめた。

あ、お母さんだ、と私は思った。久しぶりにお母さんに会った。

その鼻の穴とかちょっと開いた口を見ていたら、涙が出てきた。寝ているときは前のお母さんのままなのに、起きたら違ってしまう。ずっとこのままこうしていたい、と、とてつもなく感傷的になってしまった。ぬくもりも言葉も行動も、そのときだけは私を育ててくれた前の母のままだったから、私は錯覚したかったのだ。那覇に行くのなんて嘘《うそ》、父と母がもしかしたら離婚するかもしれないのも嘘。目が覚めたらもとの暮らしに戻っていたらどんなにいいだろう。また家族でけんかしたり気まずくなったり仲直りしたりしたい。

でももしもこのまま母があのおばさんのようにどんどん行ってしまって戻ってこれなくなったら、母はもう同じ顔で同じ声なのに、思い出の中だけの人になってしまう。

目を閉じてそのまま眠ろうとしたがだめだった。母が目を覚まして、ごめんね、あなたが那覇に行くことになるなんてよくないね、お母さんが間違っていたわ、と言ってくれるのを、奇跡が起こるのをずっと期待していた。でもそれもだめだった。母はぐっすりと眠り込んでいるままだった。私は闇《やみ》の中でただひとりすっと立ち上がり、自分のベッドに戻っていった。その自分の姿は、最高にみじめで、悲しいものだった。

おばさんはマンゴジュースを持って走って戻ってきた。

「さあ、飲んで。まだ冷たいよ。」

おばさんは言った。

「あんまり深刻に考えちゃだめよ、あったかいとこに夏休み遊びに来てるくらいに思ってね。深刻さは伝染するからね。深刻になっていいことなんて一個もないよ。」

おばさんは言って、私の前にこしかけて自分もマンゴジュースを飲んだ。

「甘くておいしいよ！」

私もジュースを飲んだ。冷たくて甘くて、なんだか「いいこと」がいっぱいつまっているような、生き生きとした味がした。

「おいしい……。これが飲めるだけでも、ここにいて嬉しい。」

私は言った。

「おじさんとおばさんとごはん食べるのも嬉しいし、秋なのに泳ぎに行けるのも、嬉しいよ。」

「そうそう、あんたはあんたなの。それでいい。」

おばさんは言った。

「今はね、誰にも考えられないかもしれないけど、お母さんは必ず戻ってくる。酒飲んだら酔っぱらうでしょ？　薬飲んだら眠くなるでしょ？　でも効き目が切れたらけろりとするよね。それとおんなじなの。今お母さんはすごく強く酔っぱらって、魂を持っていかれてるけど、酔いが醒《さ》める時は必ず来るのよ。そうしたらすかさずこっちに引っ張ればいい。みんなお母さんを愛してるから、絶対勝てる。とりもどせる。お父さんとお母さんがお互いきらいでなったんじゃないから、そうしたら絶対家族のほうが強い。こっちの引っ張る力は愛情からきてるから、最後は絶対に勝てる。あきらめたり、こっちも同じ土俵にあがらないかぎりは、大丈夫なの。しつこく、しつこく粘って、絶対にあきらめないこと。そしらぬふりして、やりたいだけやらせて、じっと粘り強く待ってること。その間は気をそらして、飲み込まれないようにして、たくさん楽しい気持ちを育てるの。そうしたら、必ず戻ってくる。そういう力の方が、地に足がついてて、たくさんの力を地球全部からもらっているこっちのほうが絶対に強い。いっしょにぐっとふんばって、待っていよう。そのためにも深刻になりすぎないことだよ。深刻になると息がつまって、しゅうって力が抜けちゃうからね、たくさん食べて、笑って、運動して、何事もなかったように、意地でも元気に生きてなきゃ。」

にかっと笑っておばさんは私の手を握った。

「だって思い出がいっぱいあるでしょ? 家族の思い出が。つまんないことでいいのよ。靴を買ってもらっただとか、今夜は何食べようって言っていっしょに買い物に行ったとか、お父さんとお母さんがけんかして仲直りしたとか、いっしょに台風を見たとか、みんなで食あたりになってお粥《かゆ》食べただとか、くだらなければくだらないほどすばらしいのよ。あとになってみるとね。どうでもいいことやくだらないことがいちばん強くてあったかくて、深刻なこととか理屈なんて大切なように思えても、そういうちっちゃい思い出に比べたら、全然へなちょこなのよ。お母さんをずうっとでも待っているための力はそういうところからもらうから、どんなに時間がかかっても、あんたとお父さんは大丈夫よ。」

「離婚になっちゃわないかな?」

「お父さんはしつこいから大丈夫だと思うよ、あいつ、小さいときから執念深くて、ケーキをどういう大きさで切っただとか、自分には少なかったとかぐちぐち言っていやらしかったもん。自分の奥さんは自分のものだと思ってるような単純でいやな男だからねえ、絶対に粘ると思うよ、あんたは安心して、心に傷を残さないように、ここで好きなように育ちなさい、今は。おばさんのしてあげられるのはジュース買ってあげるくらいのことだけど、汚い家だけど、いっしょに住んでるあいだは楽しくしよう。そのかわりこっちもいろいろ手伝ってもらうよ。あとおじさんに見てもらって勉強はいちおうやっておこうね。まだこっちの学校に入るのか、向こうに戻るのかわかんないからね。それもこっちで友達がもっとできるころに考えようね。ゆっくりね。」

私はうなずいて、深呼吸した。

ちょっとくさい川の匂いと、おばさんの白髪まじりの髪の匂いと、果物の甘い匂い、それからぎらぎら照らされる道のほこりっぽい匂いがした。甘い果実を育てる力、花を真っ赤に染める力、海の中の魚たちを生かす力、そして風車を回していく力……ここにあるいろいろなものに私は力をもらい、吸い上げ、自分の足で踏み出していこうと思った。母をいつまでも待てるのはこの地球の上で、私たちしかいないのだと、そのことの重大さに身がひきしまったのだ。

結局、全《すべ》てがおばさんの言ったとおりになった。

私は那覇で中学を卒業した。

父と母はずっと別居していたし、母は遠い町に住み込みで活動を続けていた。しかし母は当然のように父と離婚するのをすごくすすめられ、誰かと結婚させられそうになったのをきっかけに急にその団体に対して冷めたらしく、そのあともかなりの時間がかかったが戻ってきた。父と母はまた家で暮らすようになり、私は高校になってから東京に戻って東京の私立に行くことになった。

すっかり黒くてあかぬけない南の感じが新鮮だったらしく、私はけっこうもててボーイフレンドにはことかかず、東京の生活は楽しいものになりつつあった。

母は「私っていったいどうしちゃっていたんだろう、あの頃はごめんね」などと言っては、私に服とか買ってくれるようになった。一回解体したことが嘘のように、家族はもとのままだった。母はしばらくは様子がおかしいときもあったが、私と父の冷たさと厳しさが混じったほんとうの愛情、母を絶対に手放さないけど自分も苦しむのはいやだ、という確固としたありかたにはげまされて、あんなふうになることはもうなかった。私だけが子供から大人になって体が長く伸びただけで、全てはまた同じ形に戻ったのだった。

今となっては……おばさんは私が中学三年の時、ガンで死んだ。進行が速くて、あっというまだった。私はずっと看病して、おじさんといっしょにおばさんを看取《みと》った。そのことの方がすごかったように思える。それはもう父と母と全く切り離された、私だけの人生で起こった重く、忘れがたく、大切なできごとだ。

私とおじさんは、おばさんが死んだとき、思わずおばさんにとりすがって狂ったように泣いた。だめだめ、こんなふうに引きとめたらあっちにいけなくなっちゃう、見送ってあげなくちゃ、とおじさんと私は必死でお互いの肩をたたいて言い合った。それで、いったん転がるように病室を出て、ふたりでしゃくりあげながら、病院の廊下で薄いコーヒーを飲んだ。手を暖めながら……。そしてやっと少し冷静になり、戻ってまだ温かいおばさんの体にそっと触れて、ありがとうとたくさん言った。父や祖父母が駆けつけたときにはもう私たちはしゃんとしていたから、おじさんと私にしか、あの涙はわからない。

そう、今となっては、この結果を味わったら、あの風車やニシ浜や……それと同じくらいに、あの日、市場でジュースを買って走ってきたあのおばさんの姿のほうが、母が変わってしまって最高につらいと思ったあの瞬間よりもずっと、私の心にせまってくる。

かけがえのないことはどんどん変化していく。

あの時あんなに鮮やかだった、ふとんの中の母のぬくもりは、今となっては貴重でもなんでもないものになった。それはとても贅沢《ぜいたく》で嬉《うれ》しいことだ。もしも母がこの世を去ったら、またあの思い出はきりきりと胸をしめつけるものになり、やがてもっと優しいものに変わっていく。熟成されてゆく。

今の私にはおばさんの散らかった家の中で過ごしたひとつひとつのくだらない日常のシーンが、ちょっとしたときに涙にかかわる熱くてかけがえのないものとなった。光が強くなり夏になる瞬間や、何かで深刻になってエネルギーがとどこおりそうになるたびに、私はおばさんを思い出す。そして、おばさんが持っていたあの雰囲気、すごい勢いでこの世をぐんぐんまわしてきた人類の優しい力に、あの時島で聞いたメロディのように甘く清らかで力強い何かに、あたたかく包まれるのだった。

足てびち

その秋のはじめ、私と恋人はあらゆる意味でふたりぼっちだった。

誰もふたりの交際に特別反対もしていないが、つきあいはじめたのがあまりにも唐突だったので、いつ別れるか、どのくらい続きそうかというのを皆がおしはかっている状態だった。

この世で出会う大勢の人の中から三十代も後半になってやっとお互いを見いだす、という大仕事のあとでふたりはとても充実していた。でも日が浅い幸せなこと特有の、いい知れない不安がまだふたりを覆《おお》っていた。まだどっちかがつまずくともう片方もよりいっそう大きく転んでしまうような不安定さがあった。そこが恋愛の醍醐《だいご》味《み》だと思えるような余裕はまだ芽生えていなかった。その恋はまっすぐな何もない道を、まだよちよちと歩いていく最中だったのだろう。

彼と私はちょっとしたハネムーン気分で沖縄旅行を決め、まずは那覇《なは》から少し離れたところにあるホテルに泊まることになっていた。そして、そのホテルの隣の浜にある私の友達の家に立ち寄ることになっていた。その家が浜辺に面したとてもいい場所にあるので、どうせそんな近くに来るなら景色だけでもちょっと見においでよ、と誘われていたのだ。

私が旅の仕事をしている関係で知り合ったその沖縄の友達というのは、かなりもてるおじさんだった。いろんな女の人がさりげなく誘いをかけているシーンをよく見た。でも見ているとなんとなく、さほどの女好きではないんだろうな、と思わせるところがあった。

いつか彼が言っていたのをおぼえている。那覇での、仕事の打ち上げの宴会の時だっただろうか。泡盛を飲んでへべれけになって、他の男の人たちと意気投合して笑いながら。

「結局、奥さんがいるから俺たちはこうしてここで飲んでいられるんだよ、あっちが絶対なんだよ、だって家を出ていけって言われたらおしまいだもん。男なんてほんとうに弱いもんよ。」

どんなに長く結婚していても、奥さんが魅力を失っていないだろうなと思わせる夫婦というのはどっちかを見るとすぐわかる。奥さんをお母さんにしてしまっていない男の人は、いつまでもどことなく「男の子」と呼びたくなる雰囲気を持っている。そして逆に、どんなにうまくいっていると見せかけていても、実は奥さんとうまくいってない男の人特有の雰囲気というのもあるものだ。

そういう意味ではたしかに彼はいつも「男の子」で、帰るところのある雰囲気を漂わせていた。

私はまだ会ったことのないその妻に、その時漠然と興味を持った。

こんなかっこいいおじさんが帰るところに待っているのは、どんな感じの人なんだろう？と。

その家は海を見るためだけに作られたようなつくりをしていた。

そして、人生に期待してあれこれと貪欲《どんよく》に探し求める旅が終わった人たちが、静かに過ごしたいと思ってたどり着いた家という感じがした。

リビングの大きな窓からは海しか見えない。秋になりかけた、白さの際だつ浜がずっと続いている。岬が大きく張り出して景色に緑色をそえている。そして曖昧《あいまい》な色の曇り空に溶けているような海。海というものはいつもぞっとするほど遠くまで続いているものだが、そこではことさらに大きく感じられた。家の中まで入ってくるような巨大な海の印象が、波の音といっしょに押し寄せてきていた。気持ちが弱っていたら飲み込まれてしまうほどの迫力だった。

家の中は無駄なものがなく整えられていて、とても静かだった。呼ぶとすぐさっと逃げて隠れてしまう内気な猫だけが、客人の存在に落ち着かずにうろうろしていた。

そして初めて会った奥さんは、まるで小さな女の子みたいな人だった。どこか遠い島国の、民芸品のお人形みたいなかわいい人だった。

人の世話を焼いたり、ちょっと無理していい顔をしたり、人が来るからはりきって掃除したりごはんを作るとか、年下の人の世話をお母さんみたいに焼くとか、そういうことをもうみんなやめてしまった人だった。楽になるためにここに来たのだから、とにかく楽になると決めている感じがした。

でも彼女のちょっとはにかんだ、まわりの空間に柔らかく溶けていくような笑顔は、そういう大人がする社会的なもてなしのどういう技よりも、私たちをそうっとあためた。

私は、将来の自分を、私よりもずっと年上の彼女の中に見たような気がした。私もこうやっていろいろなことを歳《とし》と共にやめていけたら……そう思って深い感銘を受けていた。

少女のような大人、というのはたくさん、山ほど、掃いて捨てるほどいる。それはたいてい、少女のままでいたかったのにいろいろなことから社会的にならざるをえなくて仮面を身につけ、その欲求不満をあとで爆発させているだけだと思う。

でも、彼女は違った。ただかわいらしく透明な心を持っていた。それは彼女が持って生まれたもので、年を重ねるほどにどんどん素の自分に戻っていったのだろう。

「帰ってきてすぐにそこに横になって寝ちゃうんだもん、よっぽど、疲れてたのね。」

「あんまりかわいくない猫で絶対にさわらせてくれないのよ、ごめんなさいね。」

と、夫と猫を自然と全く同じようにしゃべったのもとても感じがよかった。その口調の中には、家の中での暮らしが穏やかに進んでいるさりげなさがこもっていた。きちんと切りそろえた前髪がさらさら揺れていた。家の中は彼女の内面みたいに、きれいに澄んだ水面みたいにしんとしていた。そして勢いのある夫が外の風を連れて帰ってきて、空気に強い色がついているのを、家中がちょっと喜んでいる感じがした。

このくりかえしをも、見るともなしに見てしまった感じがした。

留守がちの主人の不在、家から色が消える、主人が帰ってくる、家に色彩が戻ってくる、空気が動く……波みたいに繰り返され、洗い古されたふたりだけのサイクルを。

旅続きだった私は着る服が全くなくなっていたから、洗濯機を借りて洗濯物を洗わせてもらった。

「ごめんね、うちには乾燥機がなくって。」

と彼女はその小さな手で私の衣類を湿ったままたたんで袋に入れてくれた。干すのがもったいないくらいきれいにたたんであって、せっけんのいい匂《にお》いがした。

階段の途中にまるで祭壇みたいに小さな神様の像が飾られた家、ふたりが旅してきた世界中の場所からやってきた民芸品が彩《いろど》る家。ふたりの人生がたどりついた博物館。

私は今でもあの家のことを思い出すたび、やっぱり自分の将来について考える。

このまま行ったらきっと子供がいない私と彼も、いつか東京を離れるだろう。どこに住むかわからないけれど、きっと海の近くに住むだろう。自分の好きなようにだけしてきた人生の重みが、容赦なくふたりを襲ってくるだろう。どちらかが必ず先に死ぬだろう。それでも生きていくしかないのだろう……そういうことを。

そして、私と彼がふたりで誰かのおうちに遊びに行ったのは初めてだということに、ふと気づいた。

私たちはそこでカップルとしてにこにこと迎えられ、だんだんふたりのおさまるべきところに気持ちを落ち着けていくことができた。というよりは、もうとっくにおさまっているのに、まわりはまだふたりが急にいっしょになったことに驚いていて、ふたり以外の人間の瞳《ひとみ》に映るそのギャップにふたりはとまどう、そういう状況だった。ふたりは百年前からいっしょにいるように自然に暮らしているのに、まだ互いの食べ物の好みを知らなかったりした。そういうことにもいちいちお互いがびっくりしているところだった。

しかしその旅で、全《すべ》てがなんの矛盾もないところにおさまっていった。それはあの夫婦のおかげだったのだと思う。彼らと別れて沖縄をさまよっていたその旅の間中、ふたりが沖縄にいてくれているということが、私たちをふたりぼっちにさせなかった。もうふたりぼっちではなかった。あのふたりがあの家に、猫といっしょにいる。私たちがここにいるのを知っている。夫婦の会話に私たちのことがセットで出てくる。「あのふたり、今日からはブセナに泊まってるんだって。」「ああ、あそこは飲茶《ヤムチャ》がおいしいのよね。」そういうふうにさりげなく。その時の私たちにはそんなことが、涙が出るほど心強かったのだ。

ホテルに帰った私たちは、夜の海が正面に見える部屋を喜んで、今は真っ黒にしか見えないけれど、朝になったらきっとすごく海がきれいだろう、と言いながら寝た。しかし、目が覚めたのはものすごくうるさい大勢の男の声でだった。起きあがってカーテンを開け、窓の外を見た彼が絶望的な声で「こ、これは……」と言った。海と浜は一面の男子高校生で埋め尽くされていた。浮きものの上にも、浜にも、波のまにまにも、むさくるしい男子しかいない。目に映る全てに男子高校生が虫のようにびっしりとたかっていた。

「この修学旅行、楽しいんだろうか……。」

「楽しくないから無理にでもああやってはしゃいでるんじゃないの。」

と冴《さ》えない気持ちで、市場で買ってきたトマトに塩をつけて食べながら、私たちは言い合った。空は遠くまでずっと曇りだった。そして窓を閉めても聞こえてくる、怒号のように響く男子たちのはしゃぎ声。ムードのない旅行、冴えない気持ち……でも海は誰がいようと全く変わらず、そこにあってどこまでも続いていた。晴れないかなと祈りながら、水しぶきをあげてはしゃぎまくる男子たちを窓から眺めた。ずっと遠くのほうの雲が光っていた。どうか午後から晴れますように、この肌寒い秋みたいな空の色が、もう一回夏の雰囲気をおびて輝いてくれますように。祈りさえうるささにかき消された。

その日も私たちは夫妻から招待を受けていた。家の前の海でいっしょに遊ぼうということになっていたのだった。

まずはホテルの前の海で泳ぎはじめ調子がよかったら遠泳をして、岬を越えて彼らのおうちまでずっと泳いで行こう、という壮大な計画はすっかりやる気をなくして中止になった。ぶつからずに泳げるのか、というくらいに、午後近くなった海ではますます男子が数を増していた。本土の秋の海のクラゲくらいの割合で彼らは海に入っていた。なんだかその水に入っただけで妊娠してしまいそうだった。

しかたなく、まるでロードムービーのように、水着にアロハをはおっただけの姿で国道をずっとどこどこ歩いた。車がすごいスピードで行き交い、基地の近くらしくアメリカ風の店がたくさん並ぶ、夜はネオンでいっぱいの大きな道を。そしてやっと男子たちの声が聞こえない浜にたどりつき、うそのように静かな、誰もいない浜辺からそうっと沖に出た。

彼らの家の前の沖から手をふると、ふたりは泳いでくる私たちをベランダで見ていてくれたらしく、すぐに気づいて出てきた。

不思議な光景だった。海の中から手を振ると、浜に並ぶ家々の中、ある家の大きなベランダから手を振り返す人たちがいるなんて。私は自分が海の中に住んでいる生き物になったような感じがした。小さくかわいく見える家と人々。その珍しい光景もきっと生涯私の目に焼きついたままだろう。海の中から見ると、その愛《いと》しい人たちは、ほんとうに、ことさらに小さく見えたのだ。まるで高いところからはるか下を見おろした時のように。

電話も、ピンポンとドアチャイムを押すこともなく泳いでいる姿で客が来たのがわかるなんて、海辺の家はすごい。そして客は海からあらかじめそんなふうにびしょぬれであがってくる。

たまたまそのおうちに遊びに来ていた若い青年を、息子がわりだと紹介された。海でするスポーツのインストラクターをしているという感じのいい青年だった。秋なのにまだまだ海で遊べるのが嬉《うれ》しくて、短い時間に私と恋人は、彼にいろいろなことをいっぺんに教わって夢中でこなした。カヤックに乗って遠くまで行ったり、シュノーケリングをした。

そしてそのまま、私と恋人と青年は三人でどこまでもどこまでも魚を探しに行った。かなりの珊瑚《さんご》が死んで白くなってしまっていて、魚はあんまりいなかった。泳ぎ疲れるまで海の底を見続けて、やっとしましまの魚の群を見つけ、もう帰ろうか、と振り返ると、はるか遠くになっていた家の前の海で、その夫婦が遊んでいるのが見えた。彼はカヤックに乗り、彼女はその近くで水中めがねをして魚を探していた。

ふたりは外国の島に遊ぶ現地の子供たちみたいに見えた。実際にふたりの体の若さに驚いた。ふたりはもうかなりの歳《とし》なはずなのに、無駄な肉がほとんどついていない。奥さんはおなかが平たくて、肩がしっかりしていて、腕が細くて、胸が小さくて、中学生のような水着姿だった。彼の体は黒く焼けてひきしまり、背筋がまっすぐに伸びていた。この感じは、昔アニメで見たことがある、と私は思った。そうだ、『未来少年コナン』の主人公たち……コナンとラナみたいだなあ、と。コナンとラナは浜辺で出会う。浜に流れ着いたラナをコナンは見つけ、助けてあげる。それからずっといっしょに冒険をするのだ。

ふたりにはいろんなことがあったのだろうけれど、ふたりの体のほうが、足並みをそろえてふたりの人生が同じようにここに流れてきたことをよく物語っていた。もしもふたりが無駄はあった、と思うところがあったとしても。

もしも私が神様なら、この男の形をした人形の横には、必ずこの女の形を作るだろうな、と思った。そんなふうにふたりは対になっている感じがした。たたずまいがすっとしていて、海の風景になじんでいた。住んでいるところ、目に映るもの、口から入ってくる食べ物、年齢と精神性のバランス……そういうものが調和していることが感じられる、ほれぼれするような夫婦の風景だった。

私たちが近づいて行くと「ほら、見て見て」と彼女は海の底を指さした。見たら、たくさんの魚がいた。ふぐもいたし、色とりどりの小さな魚もいた。突堤の金具のところでえさを探して集っていた。

青年が大きな声で「なーんだ、あんなに遠くまで探しに行ったのに、目の前にこんなにいたよー！」と言った。「やっぱり住んでる人が何でも知っているね！」

彼女は水に沈んだ缶をさりげなくいくつか拾って、捨てにいった。

「うちの前の海なんて誰も泳いでない、いつもうちのおばさんだけが見える。」といつかご主人が言っていたのをふと思い出した。

ああ、そうなんだろうな、と私は思った。

彼女はきっと、留守がちのご主人がいなくてひとりでいる時でもここで泳いで、海を汚している缶を拾って、群れている魚をじっと見つめているんだろうな。子供の時と変わらない心で、夕陽や海の底やしょっぱい塩水を感じているんだろうな。

夫婦が家に上がっていろいろかたづけたりシャワーを浴びている間、堤防のところで体を乾かしながら、ずっとその親切な若い青年と話をしていた。沖縄には夏中インストラクターのバイトで来ている。地元は神戸で、今は近くのホテルで寮生活をしている、そういう話。明日から彼女がこっちに遊びに来るんだ、ととても嬉しそうに笑った。

魚を探すという共通の目的をもっていっしょに泳いだから何となくすぐに仲良くなった。そうでなくても海辺ではすぐに人と人は仲良くなれるものだ。見つめ合わずに、並んで海を見ているから。

「あ、その電話水に濡《ぬ》れてもいい奴《やつ》でしょう。さすが！」

と私が言うと、

「そう、嬉しくてわざわざシャワー浴びながら彼女に電話したりするんですよ！『ああ、俺、今シャワー浴びとうねんけどな……』とか気取って。でも『水音で聞こえへん！』とか言われて、不評……。」

私たちはみんなで笑った。

目の前には今まで泳いでいた、私たちを優しく抱いていた海が、雲の隙間《すきま》からやっと射《さ》してきた光できらきらと輝いていた。それでも遠くの空は青く薄く高かった。夏が終わってしまう淋《さび》しさがそこに漂ってくる。秋はもうすぐそこにせまってきている。海がきれいで勢いのある姿から、激しく恐ろしい自然の力を見せつける存在に変わってしまう季節がやってくる。そうなるともう海は私たちを入れてくれないし、風や波の音は何倍にも大きく暗くなって、どんどん夏の面影を遠ざけていく。むき出しの手や足にあたるきれいな陽の光ももうすでに柔らかく透明になりつつある。ついこのあいだまでじりじりと肌を刺す攻撃的な尖《とが》った光だったというのに、ある朝突然こんなふうに光が澄んでくる。

「ずっと寮で冷たいものばっかり食べてたから、泊めてもらって今朝おばさんが作ってくれたオムレツ、涙が出るくらいおいしかったー!!」

濡れた茶色い髪を子犬のように陽にさらして、笑顔で彼は言った。それから、私と恋人においしいタコスの店を教えるために、同じところで働く友達に電話してまで、一生懸命場所とか営業時間を聞いてくれた。

「いいですか、あ、もちろんこれは俺の個人的な意見なので言うこと聞かなくていいですけど、強制じゃないですけど、それでも絶対に、チキンチーズタコライスを頼んだ方がいいと思う、いずれにしてもどっちか一人は必ずそれを頼んでほしい!」

と熱弁をふるってくれた若々しい彼。

彼のくりっとした目を思い出すたびに、私は思う。

彼も今、あの奥さんを愛したたくさんの人たちと同じように、胸が痛くて仕方ないだろうか。

彼はたまに、いっしょに海で魚を探して泳いだあの午後のことを思い出すだろうか、悲しく切なく、そして幸せだったひとときとして。

あの午後に戻れるなら何でもすると彼も思っているだろうか?

私と恋人はあまりにもびしょ濡れでいっこうに乾きそうになかったので、「もうその濡れた服のことはあきらめて、いっしょにとっととシャワーを浴びて、濡れたものはみんな洗濯していきなさい、服は貸してあげるから……」とご主人に言われ、お湯の取り合いでぎゃーぎゃー言いながらふたりでシャワーを浴びた。まだつきあいが短いため実家に遊びに行っても別々の部屋に寝かせられる私たちには、そんなふうにいっしょくたにされたことさえ嬉しかった。

そして着るものがなかったので、乾いた服を上から下まで全部貸してもらった。

彼女のTシャツや、ご主人のアロハや。

「この柄かわいいわね、どこで買ったんだっけ?」

「沖縄だよ、これは。」

「国際通りのあの店かしら。」

夫婦はとっても夫婦らしい会話をしていた。

「もう、どれをどこで買ったか、あたしもわかんないわ。彼のタンスを開けてみると、ぜーんぶ、アロハばっかりなのよ!」

彼女は晴れやかに笑って言った。

「どうしてこんなにあるんだろう、っていうくらいあるのよ!」


近所の食堂まで車で行った。

午後の食堂は空《す》いていて、TVではワイドショーをやっていた。明るい光が入り込んでくる店内に、TVの音と調理の音が大きく響き渡っていた。

「そうだな、やっぱり沖縄に来たからにはゴーヤーチャンプルーだな。それからソーキそばだ。足てびちはどう?　豚足好きか?」

沖縄にまだ一回しか来たことがない私の恋人を気遣ってご主人が言った。

「あ、あたし、それって実は一回も食べたことない。」

妻がぼそっと言った。

「そうなのか?　じゃあ一回は食べてみたら。頼んでみよう。」

ご主人は足てびちを頼んだ。店のおばあと娘さんが仲良く調理場に立って手際《てぎわ》よくいろいろなものを作っていく。

彼女は出てきた足てびちをちょっと食べ、
「ああ、思ってたよりずっとおいしい！」と笑った。「でも、あたしこれはちょっと
でいい。一回でいいな。」
彼女はすっかり満足したようすでそばもほとんど食べずに、すぐにみんな若者にあ
げてしまい、ちょっと離れた席でワイドショーを見上げながらタバコを吸っていた。
食事を終えた若者もそこに加わった。私は後ろから二人が無心にワイドショーを見て
いるのを見ていた。彼の若く大きな背中にくらべて、彼女の背中は消えてしまいそう
なくらいに丸くて小さな背中だった。
帰りに車の中から、大きな工事現場が見えた。崖《がけ》みたいなところを削っていた。
「あれってなんだろう？」
と私が言った。運転していたご主人が、
「あれはね、台風が来たときにどのくらい崖がくずれるか、実験をしてるんだと思う
よ。何か作ってるようすもないし、いつもああやって崩してるんだよ。」
などと、えんえん説明をしていた。彼女は突然思い出したようにこう言った。

「ねえ……あなた、さっきから、なんか適当に言ってない？」

「適当じゃないよ、なんで？」

「だって、なんだか話が嘘《うそ》っぽい。」

かわいらしい夫婦の会話に私たちはみんなで笑った。五人乗っているから車内はぎっしりで、笑い声も大きく響いた。みんな日に焼けてほてっていて、髪が濡れていて、おいしいもので満腹だった。道はすいていて、車はなめらかにきれいな道を進んでいった。私の足はとなりに座る彼女の足と触れ合っていた。やわらかく、温かい感触だった。クーラーのきいた車の中で、ふたりの太ももは並んで静かに陽に照らされていた。やがて車は私と恋人が泊まっているホテルの玄関について、別れの時が来た。

「また、遊びにきてくださいね、おじさんが留守でも、おばさんはいつも、いるからね。また会いましょうね！　沖縄に来たらいつでも寄ってね！」

彼女は別れ際そう言って笑った。

それぞれの日常生活に帰っていくときの感じ、小さな旅を共にした人たちと別れるときのちょっとだけ切ない気持ち……そして、また会えるという気持ち。友達のおじさんと抱き合って別れを惜しみ、若者にはシュノーケリング教えてくれてありがとう、と握手し……最後に奥さんの手を両手で握った。温かくて小さく、陽に焼けた手。ありがとう、また来ます、また会いましょう。

でも、もう彼女には二度と会うことはなかった。


帰ってから荷物を見てみると、奥さんの水着が借りた衣類にまぎれこんでいた。まさに家の前の海で魚を見ていたときに着ていたグレーの水着だった。

私は肌寒い東京の秋空の下で、ああ、あっちは暖かかった、彼女のこの水着を見ていたとき、泳いでいたとき、すごく楽しかった。彼女はまさに晴れてきつつある高い空の青とあの白い家を背景にして、水の中にかがみこんで水中めがねをして魚を見ていたっけ……。そう思いながら洗濯をした。送り返すために借りた服といっしょにその水着を包みながら、いろいろなことをいっぺんに思いだした。秋の東京で思うと、あの光の具合さえもう夢の中のことのように遠くまぶしく感じた。

冬のある寒い日、彼女は不慮の事故で死んだ。

私はご主人と一瞬電話で話をした。ふたりとも泣きながらこう言いあうしかできなかった。

「いっしょに泳いだのに。」「そう、ついこの間いっしょに泳いだのに。」

それしか言えることがなかったのだ。

でも、いっしょに泳いでおいてよかったと思った。

そして、あれが、彼女の人生最初で最後の足てびちだったということに気づいた。

そんなところに私はたまたま居合わせたのだと。

私は一生、豚足を食べるたびに、陽に焼けたあのか細い体を、かわいらしい声の響きを、あったかい足の柔らかい感触を思うだろう。ああいうかわいい人がいたことを、大きな海の景色といっしょに思い出すだろう。

「おばさんおっぱいないから」「おばさん携帯電話もってないから」「おばさんすごく方向おんちだから」もうあやまらないで、と思うくらい何回も彼女はごめんね、と言った。小さい声でごめんねと言ってちょっとはにかみ、かわいらしく目を伏せた。その、花の影みたいな面影が残像のようにまぶたの裏に残っている。

これからの人生、私は自分で選んだ人生のあまりの重みに、何度もだめになりそうになるだろう。そのたびに、人生の最後のひとときをたまたまわかちあってくれた、あのかわいい人を思い出すだろう。その人がもうこの世にいないということを思い出すだろう。沖縄に行って、本島のあのまっすぐな道を車で走るたびに、彼女のぬくもりを体に感じるだろう。もうそれは一生消えない。たとえ彼女自身が彼女をすてきと思っていないから口癖みたいにあやまってばかりいたのだとしても、彼女は魅力的だった。どんな年齢の人にも同じように接して、欲や嫉妬《しっと》から押されてしまう年齢の刻印をまぬがれていて、妖精《ようせい》みたいに透明だった。

私はうまくすると同じ恋人と歳《とし》を重ね……海を見るたびに思うだろう、別れの危機が来るたびに思い出すだろう。最初に私たちを認めてくれたあの夫婦の、もう二度と見ることはできない、波に消えていきそうにちっぽけなのに、しっかりと並んで存在していた印象的なたたずまいを。

たとえ何がどう変化していっても、あの午後は永遠にあの浜辺に幸福な形で焼きついている。海が私たちに思い出をくれた、と言いたくなるほどに鮮やかに。

生まれてから百年程度しかとどまることのできない場所、このちょっとした遊技のなかで、なんで時はそんなふうに残酷な勢いで過ぎていってしまうのだろう？　ついこの間までいっしょにいたのにもう触ることができない。

そういうことがいくつもいくつもくりかえしあることに、どんな意味があるのだろう？

あの日幸せだった私たちを思いうかべたら波音や光と一緒に、欠けてしまった人の面影ばかりが浮かび、今はまだ目の前が真っ暗になる。しかし時の波が少しずつつらい思い出をけずって、いつか全《すべ》てを光の中にかえすだろう。闇《やみ》を見て、また光が降り注いで、思い出を抱いて……うんざりするほどくりかえして喜びも苦しみもまたどこかへ消えていくサイクルの中で、立ち止まることも許されない人生の、私たちは単なる奴隷《どれい》だ。

なのにどうして、こんなにもいいものだと思えるのだろう。

なんくるない

離婚してから一年たった頃、やっと生活が落ち着いてきた。木はきれいなそのままの幹や葉っぱの鮮やかな色に見えるようになってきたし、空はちゃんと今日の天気に合った空の色に見える。

沈みがちな気持ちの色が、そのまま景色の色にうつりこんでしまう時期は、思いのほか長かった。

できることならいつでもこの世のいろいろなものの姿を、なんでもなるべく感情のフィルターをかけずにそのままで見ていたい私にとって、それはなんとも居心地が悪い日々だった。

そして、やがて平穏が、すとーんと落ちてきたみたいにやってきた。

それはまるで結婚なんてしたことがなかったみたいな、穏やかな日々だった。もうずっとこうでもいい、と私は思った。

それでも私はいつのまにか、私の中に前にはなかった空っぽな部分ができてきていることに気づいた。自分がこの世にいることがすばらしい、そしてそれを、あたりまえだと思う……その部分に小さくあいた穴だった。

離婚は、相手が言い出してくれなかったら自分が言い出したはずだった。「もういっしょにいるべき時間は終わったみたいだから、すぐにそれぞれの道が見つかるはず」と私は心から思っていたはずだった。

今の毎日は楽しくて、一日に何回かはほんとうに笑えることもある。なのに心のどこか小さいはじっこの、子供の姿をした部分が、

「まさか、そんなことがあるはずない！」

とだだをこね続けていた。

なにがあっても私を好きで許しているはずの、家族だった人が、私と別れてもいいと思ったのだ……そういう気持ちが消えないままで、ぐずぐずと心の中に、くすぶっていた。

そして、私は「自分はこの世の中に全く必要がない、居場所がない」という思いを

振り切ることがどうしてもできなかった。ちっぽけな傷だけれど、じくじくしてなかなか治りきらない。

離婚というのはたとえ相手の悪口を言わないと決めて実際にそうしたとしても、胸の中には割り切れなかった思いがいっぱいにつまっているものだと思う。なかなか治らない生傷もたくさん残っているように思う。

そして永遠にわかりあえないそのもやもやした気持ちの亡霊が、しばらくのあいだは互いのまわりにもやのようにただよっているのかもしれない。だから、こんなに気持ちがはっきりしないのだと思う。

そのもやみたいなものは、人が生きているかぎりはいつでもどんな人の周りにもあるのだと思うけれど、弱っているとそれが心のあり方に影響してくる。そしてそれが現実に反映されて、ますます冴《さ》えなくなる。

そのしくみがこんなにもよくわかっているというのに、私はまだ、そのもやの中にいた。

イラストの仕事を細々と続けていたし貯金もあったので、離婚に際しての経済的な不安はさほどなかった。未来のことまではわからなかったけれど、先のことなんてほんとうには誰にもわからないから、悩んでもしかたないことだった。

結婚しているあいだも仕事はやっていたし、今は姉の家に居候《いそうろう》しているので、家事をしながらやっぱりこつこつとやっている。いずれにしても私は時間ができると絵を描いていたし、依頼は、ひきもきらないということはないけれど、絶えない程度にずっとありつづけた。

筆や、ちぎった和紙を張り合わせたのや、墨で描く私の素朴な絵は、必要とされるときはうんと必要とされるけれど、現代風の絵が要求される場面では全く必要とされない感じだ。

昔話の絵本とか、和風のものがブームになっている昨今は女性誌からも仕事を頼まれる。姉は有名なエッセイストなので、姉の書いた国内の紀行本でも絵を描いたことがある。外国の人がおみやげを買いにくる浅草の雑貨屋さんに置いてもらっている、私が絵を描きデザインもしたグリーティングカードはけっこう人気がある。それでも、町に出て道行く人々に私の絵を見せても「ああ、知ってる」という人はほとんどいないと思う。

私の仕事の世間での位置は、だいたいそういう感じだ。それでも私にとっていちばんちょうどいいかげんのその場所に、長年かけて私はたどりついていた。

それから、私は昔ちょっとだけ女優をやっていたことがあって、当たり役がひとつだけあるので、そのドラマがビデオ化されたりＤＶＤになったりするようなとき、取材されたりすることもあった。そんなときは絵もいっしょに載り、そうするとしばらくまたぽつぽつと仕事が入る。

絵の質さえ落とさなければ、仕事はなくならなかった。ぜいたくできるほどの稼ぎはないが、いつでもちょうどいい具合だった。

ひとつだけ誇れること……それは、私がそれをずっとずっと、好きでただ楽しみのために続けてきたということだった。

小さい頃から私は、お姫様だとか泥だらけの妖怪《ようかい》だとか精霊だとか、大昔のまだ生臭くてどろどろしたような海や山の絵を描くのが大好きで、頼まれなくても徹夜して、和紙をちぎり、こつこつと描いていた。うまい色合わせや、ものすごい表情が出せたときにはいつでも「よし！」と思う。その「よし！」があれば、私はずっと、目が痛くなっても、手がだるくなっても自分の世界と向き合っていられた。

「このことをずっとしていたいけれど、はじっこにいたい。そして一生の時間をかけてやり続けたい。」

それが私の心からの願いだった。

夫はわりと名が知れている脚本家だった。幸いにも、私のそういう内面の問題は彼にかなりのところまで伝わっていた。私が興味を持ってもののけだとか妖怪だとかの気味悪い絵がいっぱい描いてある資料を集めたり、ベランダの草花とお話ししてその内容を絵に描いたりしているのを、彼は普通に受け入れてくれていた。

それも「わけのわからないものだが女ってそういうものだよな」という感じでよしとしているのではなくて、そういう部分に敬意を払って、できれば自分も理解したい、取り入れたいと本気で思っているという感じだった。

実際に私が行きたくないと言った場所で事故が起きたり、夢の中で植物の精霊と話してその土地の成り立ちを聞いてそれが実際に当たっていたりしたから、夫はどこかに出かけるときには自然と私にいろいろたずねたりしていた。私のそういうちょっと不思議なところを、夫はすごく好きだったと思う。

でも、他人だからあたりまえなのだけれど、ほんとうの意味ではその気持ちはわかってもらえることがなかった。

私はそもそも目に見える世界にそんなに興味はなく、人生のプランもあってないようなものだったので、堂々としていられたけれど、夫はそういう私を見ると少し気あせりするとよく言った。

私は社会的ななにかをばっさり切り捨てているからこそ、こういうふうでいられるんだと何回も言ったけれど、夫から見たら、私は余裕があるようにしか見えないのだった。私から見たら夫がきちんと手続きして車を買ってきたり、しめきりに間に合うようにきちんと取材してちゃんと脚本を仕上げたり、俳優さんのつごうでちゃんと内容をうまく書きなおしたりするようすにはいつもほれぼれした。でも本人にはあたりまえのことなので、ほめても喜ばない。

私のそれと、あなたのそれは同じなんだよ……と何回言っても、彼はほんとうにはうなずかなかった。彼が彼自身を低く見ている部分だから、本人が納得しなければだめみたいだった。

でも、私は、それでもよかったのだ。

この結婚はそこがいちばんいいところだった。違うからこそ、お互いに自分の枠を広げながら若い時代を過ごせたのだった。

夫は好意で私のことをいろいろな人に紹介してくれたし、私がよく知りもしない人のお誕生日に、額装した私の絵をあげたりした。

はじめ私は、そんなことしてくれなくていいと言った。見てほしい欲がないわけではないけれど私の絵はやたら時間がかかるし、和紙を使っているから材料費とのバランスもとても悪い、それに速いペースには何かとついていけないから、忙しくなっても困っちゃう、というふうに。

彼は、私のそういう態度をよく「そんなつもりはないのだろうが、人からは傲慢《ごうまん》に見えることがあるかもしれないから、言葉を選んで」と言った。私もはじめは反発したがそれはほんとうのことで、夫のほうが世間というものをよく知っていたと思う。

人間を愛していなければ、脚本なんか書けるはずがないから、彼はそれがどういう世間であれ、人々を好きで、好かれてもいたのだ。彼のそういうところが好きだった。

私にとって自分にそなわっている以外のやり方をするのは、よほどそうしたくないかぎりはとてもむつかしかったが、夫はとんちんかんな私のことをとてもよく守ってくれたと思う。

最後のほうでは私は、自分の描いた絵を夫の友達が喜んでくれると心底嬉《うれ》しく思った。そうか、ひねくれてかたくなだったのは私のほうだったんだ、と私は思ったのだ。

夫はそうやって私の世界をちゃんと守りつつ広げてくれた人だった。ひとりでいたら、二十代のまま、私は自分の好きな人だけに自分の好きなことを押し付けて、小さく生き、考えていただろう。いろいろな人に会えたり、いろいろな人の本当の気持ちを見たりすることができたのは、彼と結婚していたことのなかでいちばんすばらしい部分だった。

でも、時は満ちて、もういっしょにいられなくなってしまった。

だれかと密にいっしょにいられる時間はいつだってほんとうに短くて、星のまたたきのようだ。


家事が大好きというわけではなかったが、女優とか、外に働きに出るよりは向いていると思う。それは、自分のペースでできるからだった。

夫は私にぜいたくのよさを教えてくれようとして、いいホテルやレストランによくつれていってくれたけれど、私はそういうことにはそれはそれでとっても楽しい、というふうにしかなじめなかった。不器用というか、バカというか、人の好意がわからないというか、ぼうっとしているというか、融通がきかないというか……私はそういうところだけはどうやっても変わらなかった。

もっとすばやく状況を飲み込めて機転がきいていろいろ気が回ったら、あの人にこのいっしょうけんめいだった気持ちが理解してもらえたかなあ、と思うと、今でもちょっと泣けてくることがある。

今でもたまに夕方外にいると、夕焼けを見上げながら、ああ、ふたりのあの家に帰りたいなあ、と思ってしまうことがあるのだ。

いくら姉がいい人とは言っても、居候はなかなかつらいものなのだ。

てきぱきとして、私の世話をなんでも焼いてくれて、私が決められないことをいつでもちゃんといっしょに考えてくれた頭のいい夫のことが、私はほんとうに大好きで、私といるということだけで夫がいらいらしたり、幸せじゃないことだけがつらかった、そのくらいに……自分なりのやり方でだけれど、好きだったのだ。

好きなように生きてほしい、そういう気持ちがなににも勝って結局別れてしまうくらいに、彼をよく見ていたと思う。

私がいなければ、彼は自分らしく流れのままに、普通に女の子たちと贅沢《ぜいたく》な食事をしてデートしたり、仕事をばりばりやって取材も受けただろう。そしてもっと普通にそういう生活を楽しめただろう。

そして私の苦手な、エントランスに革のソファがあるような、オートロックも管理人も宅配便あずかりボックスもある、似たようなインテリアの高級マンションみたいなところに住めただろう。

私はそういうところが好きじゃないから、でもあなたのお金で買うのだからあたりまえだと思うから、いつでもそういうところに引っ越しますよ、どうか私に遠慮なんかしないで……といくら言ってもだめだった。私が「好きじゃない」ということだけで、なんだか後ろめたく思うようなのだ。もっと私にも参加してほしいみたいだったのだ。彼はやさしすぎた。

かといって、私がうそをついて「そういう暮らしを好きになった、ぜひそういうところに引っ越したい」と言ったって、いずれはわかってしまう。正直に伝えることだけが、そして気持ちを正直に言ってみてから、それでも意地をはらず、楽しみながら、添えるところは添っていくことが、私の気持ちだった。

もっとそっち（ってどっちなのかわからないけれど、お金があって派手な仕事をしている人たちの楽しみのあるところだと、漠然と私は感じていた）に行きなよ、別に悪いことじゃないんだから、あなたはどこにいてもあなたなんだから、どうか思い切りそっちに行って！

離婚するとき私は心からそう願った。

彼は私の目をいつでも気にしていた。いつでも痛いくらいに私がどうしたいか、なにが好きかを気にしてくれた。

だから、沖縄とか、バリとか、タヒチとか、休暇でそういうところにいるときは私たちは夢みたいにうまく行った。旅のあいだはお互いを思いやって、まるで出会った頃みたいに浮き浮きして、毎日が生き生きとしている。

「帰ってもこういう気持ちのままで暮らしたいな。」

「こういうゆったりした気持ちで毎日いられたら、なにも問題はないだろうなあ。」

海を見ながら、畑のわきの道をてくてくと歩きながら、私たちはよくそう言い合ったものだった。

でも帰ってくるともうその日の晩から、現実がなぜかふたりにのしかかってきた。

そうするとお互いがなにかに挫折《ざせつ》したような感じが出てきて、ますます毎日が重苦しく感じられるのだった。

ものすごく保守的な会社役員の家に育ち、男の子を三人育て上げた専業主婦のお母さんがいる彼は、その枠から逃げ出したいと思って今の仕事や私を選んだのに、どうしてもそこに戻ってしまうように見えた。もちろんそれは彼自身が抱えているドラマなので私にはどうすることもできなかった。

世の中にはいろいろなおうちがあって、違う世界も家族の数だけあるんだよ、と示すことさえもできなかった。彼にとって奥さんというのは心の奥底では家で彼を待っていてくれる人、彼の世話をしてくれる人、そして彼の成功にくっついていく人だった。

私はこんなにも彼を好きなのに、そのどれも持っていなかった。

そのくやしさははじめのうち私を火のように焼いたけれど、しだいに慣れてそれはそれでいいと思うようになってきた。でももうそういう時期も終わった。潮時だとはわかっていた。もういっしょにいるときは終わった、そういうのを肌でひしひしと感じるようになってからも、あと一日、あと一日はいっしょにいようというふうに、のばし続けてきたことだった。

そういうふうにしていたら、暮らしはいよいよだめになってきた。夫は、最後のほうはもうあまり家に帰ってこなくなった。あまり帰ってこなくても、私は不思議と気にならなかった。自分を納得させることは容易にできた。会えば嬉しく思ったし、ひとりのときはそれなりに過ごした。

それでも、やっぱり朝起きて横に誰もいないことに気づくときの、そして「ああ、彼は帰ってこなかったんだ」と思ったときのあのなんとも言えない気持ちは、当分忘れられないだろうと思う。

寝る前は彼は夜中に帰ってきて「おかえり」「おやすみ」と言い合うのだと思っている。そして当然のように人のぬくもりがとなりに寝ているはずだったのに、起きてみるとひとりぼっちだった。

朝の光のなかでひとりで目覚めると妙にぽかんとしてしまって、どうやって一日を始めていいのかわからなかった。ひとりで起きだしてコーヒーをいれても、卵を焼いても、それらがいくらあたたかい湯気を出して一日に誘ってくれていても、心は凍りついたままだった。

そういうことは、たまにすごくこたえた。

そして、私と別れて数ヶ月後に、夫はそれまでおつきあいしていた女の人のうちの誰かと、再婚した。ひとりではいられない人ということを知っていたので、全然腹はたたなかった。ただ、会いにくくなるのが淋《さび》しかっただけだ。

私も男の人に強引に誘われると断われないところがあり、私自身も長い結婚生活のあいだに、何回か浮気していたので、お互い様だった。

それでも、夫はきちんと慰謝料を払ってくれた。変にきちんとした人だったのでそうせずにはいられないと思ったのだろう。それが現実に対してぼんやりした私への愛情の形なのかもしれない。今ではもう夫には新しい奥さんとのあいだに子供もいるので、会うことも全くなくなった。

私はたまたま「夫は私とは子供をつくるさだめじゃなかった」と思うようにしている。

できたら産もうと思って、十年もいっしょに住んでいてできなかったのに、その彼女とは一発で……というとなんとなく下品な言い方だが、一発でできたのだから、もうそれは私がどうこう言えない、もっと大きな問題だろうと思うのだ。

私と彼は、十年以上前、フリーライターからエッセイストになっていた姉に連れられていったパーティで知り合った。

彼が私にほれこんでくれて、私をモデルにしてヒロインを書いたドラマがものすごく当たったのだった。私は昔友達のやっている劇団にいて演劇のこころえがあったので、自分でその役をやらせてもらった。人から見たらものすごくラッキーな、シンデレラのようなお話だったのだが、私はぜんぜん女優を仕事にすることに興味がなかったしお芝居もへたくそだったので、プロとしてやったのはそのひとつの仕事だけだった。頼まれてちょい役でドラマに出たりしたことはあるけれど、主役はその一本だけだった。

そのドラマを収録しているあいだに、私たちは仕事と恋がいっしょになっているときのすばらしい化学反応をみんな体験した。落ち着いたらすぐに結婚し、私は引退した。そして子供もできず、離婚して……私は今、三十三歳になっていた。あらすじだけとってみるとなんとなくだめっぽい人生ではあるが、それはあらすじだけのこと。

私の中の感じでは、やっとこれまでに味わったことのないくらい、いい年齢になってきたように思えた。自分と自分の内面がしっくりといっていたし、目の前にあるものと、後ろにしてきたもののバランスがいちばんよかった。

それでも、淋しいことは淋しかった。

どうやってもその痛みをごまかせるものではなかった。

同じことを単に先に言われたからってこんなに悲しくて、しこりが残ったままになるなんて……と人の心のしくみを不思議に思った。

でもよかった。私が先に言わなかったことで、あれ以上に彼を悲しくさせなくてすんだ。

先に言ったことで、彼の悲しみに形がつきやすくなった。それでいいのだ。

そんなふうにまだ、考えが行ったり来たりしている、ある日のことだった。

私は、午後にいつも、近所の大きなデパートの中にある書店に行くことにしていた。夕ご飯の買い物をしがてら立ち寄るのだ。

書店の店員さんであるその女性はすごくいらいらした感じできびきび立ち働いていて、見るからにユーモアのかけらもなさそうな人だった。

働いている時間帯が違ったのか、これまでにその人を見かけたことがなかった。それで、私はふっと彼女に目を止めた。そしてちょっとだけ「合わないな」と思った。誰かに対して何の気兼ねもなくそんな気持ちになれることはめったにないことだが、その人に関する私の気持ちはまさにそれだった。ひと目見たときに、もう自分と合わないとわかる、そういう感じの人だった。

もちろん向こうもそうだったからこそ、そういう事件が起きたのだろう。

彼女はベージュでえりが大きいブラウスを着て、長いスカートをはいていて、低いヒールのミュールをはいていた。髪の毛をうしろでたばねていて、眉毛《まゆげ》がうすくて、目ばかりが大きい女性だった。年のころは三十くらいだと思われた。

姉と「近々沖縄に行こうか」と計画していたので、そのために私はじっくりと吟味してガイドブックを選んでいた。

確かに私は棚の前に座り込んで本を選んでいたので、その人が行ったり来たりするのを多少は邪魔していたかもしれない。何回か、体が触れそうなところをその人がいらいらしながら通っていったのを、感じていた。

それでもガイドブックはたくさんあって、沖縄でも本島に行こうか、まわりの島に行こうかといろいろ迷っていたら、楽しみなので嬉《うれ》しい気持ちにもなってきたし、時間をかけて実際役立つ本を買いたかったので、どうしても長くそこにいることになってしまった。夢中で選んでいたあいだに、その人がしまいには私の大きなおしりに向かって「ちっ」と小さく舌うちをするのまで耳にしてしまった。

そして最終的に、レジでもその店員の女性に当たってしまったので「声をかけにくいなあ」と思ったのに、心の中でついあれこれ計算してしまった私はたずねた。

「あの、このシリーズの『沖縄』はありますか?」

そういうときは自分の本能にしたがって声をかけるのをやめればいいのに、どうも鈍っていたようだ。

「ああ、ありますよ。今、持ってきます。」

彼女はいらいらしたふうに答えて、その場を走り去った。私はなにも悪いことをしてないはずなのに、なんだか申し訳ない気にさせられた。

そして私がぼうっとしているうちに、他の人が他の本のぶんのレジを打ち始めた。

私はこのときも「あれ?」と思った。思ったのだから言えばよかったけれども、奇妙な弱さが私を支配していて、言い出せなかった。なんだか悪い魔法にかかっているみたいに、ものごとが進んでいった。

なんだかよくない感じだと自覚するかわりに、なぜか私は私に「今持って来てくれるというからまあいいわ。」と言い訳をした。

すると、彼女はばたばたと戻ってきて、怒った顔で、

「申し訳ありません、なかったんです。」

と言った。

レジには長蛇の列ができていたし、本がないというのは私にとってこそ悲しいことであるはずなのにその人は怒っているようだし、まるで私が悪いみたいな感じだし、それにいちばん楽しいことに関する大事な気持ちがそがれてしまったので、ちょっと私もむっとした気持ちがあったのだ。

でもその「むっ」は彼女に対してではなくて、このなりゆき全体に対するものだった。

「ああ、とっても残念。」

と私は言った。それがいけなかったのだろうか。

「注文なさいます?」

と彼女は言った。

「いいです。」

と私は言った。

次に起こったのは、ほんとうに予想外のことだった。

その店員さんは私の目の前で、私の買った他の本を床にたたきつけたのだ。

それは、私のためにまだ見ぬ豊かな世界をたたえているはずの、大切な本だった。

「なにいばってんのよ！　さんざん立ち読みしてちんたら選んでたくせに！　あんたがどんくさいからいけないのよ！」

彼女は私にそう言った。

私はびっくりして押し黙った。

まわりはどよめき、他の店員がみなぎょっとしてレジのカウンターからこちらを見て、誰かが奥に走っていき、えらい人が出てきて私にあやまりはじめた。あっけにとられて私がぼうっとしているうちに、どんどんそれが展開していったのだ。

私は書店のざわめきが好きだった。みなが静かにゆきかっているけれど、図書館ほどに堅苦しいわけではない。待ち合わせをする人もいれば、急いで資料を買いに来た人もいる。そういうのを目の端でとらえながら、私はいつでもゆっくりと、幸せに本を選んでいた。

しかしそういうことの全《すべ》てがだいなしになった。

「わ、私があなたに何をしたっていうんですか?」

私は言った。

「わかりません、でもあなたを見ているだけで、あなたのような人の全てに、無性に腹が立つんです。」

彼女は言った。私のような人って、どういうことだろう? 他に私のように見える人が、彼女にはいるということだ。それはいったいどういう人たちなのだろう?

わからないままに、私は言った。

「どうしてですか? 私のことを何も知らないのに? なんでそんなにまで?」

返事がかえってこないので、

「あなたがいらいらしてせかせかしているのは、あなたの時間、あなたの問題じゃないですか? 私には何の関係もないですよ。目を覚ましてくださいよ。」

と私は続けた。自分でもよく言えたと思う。私の声は震えていた。でもちゃんとそ

でその場を離れた。


それでもその人がまだ黙って私をにらんでいたので、私は身をひるがえしてその場を離れた。

あやまりながら他の店員さんが私についてきて、出口まで送ってくれていたが、それでもあの女の人はホラー映画に出てくる幽霊みたいにじっとそこに立って私をにらんでいた。上司に怒られ、同僚に取り押さえられながら。

すごくこわかった。なんだかえたいの知れない呪《のろ》いをかけられたような気がして、背中が寒くなった。まるで道に迷っていたらいつのまにか墓地に出てしまったときみたいな湿った気持ちだった。

店を出て、心臓のどきどきもおさまってしばらくすると、もうぜんと腹がたってきた。

私にとって、書店の中の空気に身をゆだねていることは、ちょうどいい温度の水にゆったりと身をさらすようなものだ。誰もそれを私から奪えないたぐいの大切なものだった。

こんなに小さい楽しみなのに、なぜじゃまが入るのだろう? と思ったのだ。なにが起こったんだろう? いったい……私は考えた。

そして私はもう夫だった人に守られていないんだな、ということが身にしみた。こういうときにクレームをつけるのが上手だった彼といたときは、つられて自分まで強気になっていて、いっしょにいないときでも保護者といるような感じだった。でも、今は頼りない、ふらふらした独身の女に過ぎないのだった。私はなにでもなくて、だれにとっても取るに足らない存在だった。ほんとうはそんなことはないのだけれど、そういう気持ちにさせられた。

都会の気持ちよさはそうやって空間に溶けてしまえることだというのに、今の私にはそのことがとても心細かった。

そして、私がなにによりも気になったのは、彼女をあんな行動に向けて突き動かしたなにかだった。彼女の後ろにある力と言ってもいい。

ちょっといらいらしているというくらいで、人があんなふうになってしまうなんて、考えられない。あれはちょっと線を踏みこえすぎている。あんなふうになることがあるなんて、ほんとうはすごく異常なことだと思う。

なのに、多分もう、書店はいつもどおりに営業して、みなは見たものをす早く忘れて、また本を持って列に並んでいるだろう。

なんだかそういうことの全てが心底こわくなった。

あかの他人である私がこの世に生きているだけで、私のことを嫌いになれるなんて。人を、そんなふうにイメージだけで判断するなんて。昔ドラマに出ていたときにこれが起こったならまだわかるが、今はもうそんなこと覚えている人のほうが少ない。だから、ＴＶの中にいる人でもなく、現実の人間としての私をあんなふうにとらえたのだ。

そして私にはこのできごとが、今、自分が生きていることに対して何の価値も感じられなくなっているはじっこの気持ちのあとを押すものであるような、いまいましいくらいに象徴的な出来事に思えてきた。私は何ものかから、この世にあるある種の勢力から、生きていることを憎まれている、そういう気さえしてきた。

なんだか小さい頃にわけもなく人にいじめられたり、けんかしてどなられたときみたいに、圧倒的な悪意にうちのめされてしまった。この街では、もうマイペースに暮らすことは許されていないのだとさえ思った。

それから、私は私自身にもちょっと憤慨していた。きっと、ほんとうはどこかしらで「あの女の人は少しおかしい」と感づいていたのに、それを無防備な状態でくらってしまったのをうかつだと思った。あのときその気持ちにしたがっていれば、今頃こんな泥の底に沈んだような気持ちで過ごさなくてよかったのに、と。

それでも言いたいことを言えた、それでよかった、と私は思った。

あのとき、もしも言葉が出てこなかったとしたら、私は今頃、頭をかかえてくやしさでころがりまわっただろうと思った。

その夜、姉の帰りが遅かったので、私は今日のことを誰にも話せず、なんとなくやりきれない気持ちのままでひとりで野菜の煮込みを作って食べ、ワインを飲んで少し酔ってしまい、ソファで眠った。

すると夢を見た。とても悲しい夢だった。

夢の中では、私はまだ結婚している。そして夫が帰宅して、上着を脱ぎ始める。私は「お茶でもいれようか？」といつものようにたずねる。

夫はうなずき、私たちがはじめて恋に落ちたときと同じように、落ち着いた雰囲気で私を見る。実際には彼の内面はいつでも嵐《あらし》だったのだが、表面的にはとてもどっしりと落ち着いて見える人だった。

そういう彼といると、とても安らいだ。私も表面的にはとても落ち着いているが、心の底ではいつでもなにか大切なものをとりのがしてはいないかとあせっているような人間だからだ。

「今日、本屋さんで、店員さんの変な女の人に八つ当たりされた。地味で、目が鋭くて、声が高い人。」

私は言った。誰かに言えるっていいなあ、それだけでいいなあ、結婚してよかったなあ、

と私は思っていた。

……やっぱり今のままでいいんだ。この生活はこんなふうになんでも話せるし、家族がいると安らぐもの……。

と夢の中の私は思っていた。

そこが、この夢のうんと、とっても悲しいところだ。

その結婚のいちばんいいところが、甘いミルクティーのような感じの色で私を包んでいた。

でも、彼は言った。

「それは君がいるだけで人をいやな気持ちにさせるからだよ。いるだけで、あくせくと働いている自分を、有名になりたい、お金ももっとほしいと思っている自分を、ばかにされてるような感じがするんだ。僕は、君以外の人たちといるとほっとする。もしかしたら、その女性も僕が寝たことある人かもしれない。だから、君につっかかっていったのかもしれない。」

まるで、普通のことのように、そして心底私を恨んでいるというふうに。

それは確かによく夫に言われたことみたいなことだった。もっと優しい言い方ではあったが、そういうようなことを、けんかするたびによく彼はちくちくと言ったものだ。

「なんでそんなひどいことを言うの？　家族なのに？」

「家族じゃない、夫婦だよ。」

彼は言った。

「でも君は思い通りに生きたいんだろう？　少しも人に合わせてやっていこうという気持ちがないんだろう？　不器用そうに見せかけているけれど、奥の奥では人を見下しているんじゃないの？　だからわかる人にはわかるんだよ。」

それを聞いて、私はショックを受けた。そうじゃない、すごくそれに近い状態だけれど、決してそういうことではないんだと泣きながら何回も悲しみを訴えたが、元夫は、いつものような感じで新聞を読み出して、私のことを見ないふりをした。

これも、結婚の最後のほうではよくある場面だった。

どうしようもなくなって、私は玄関から外に飛び出した。

そしてふと振り返ると、なぜか私は昔住んでいた家の庭に立っていた。勝手口があって、その前で私は子供みたいに泣きじゃくっていた。

がちゃ、とドアが開いて、姉が出てきた。そして、

「何泣いてんの？」

とけげんな顔で聞いた。

姉に泣いて抱きついたら、姉はなんてことないような顔をして、

「また外でけんかでもしたんでしょ、泣いてないで、早く家に入りなよ。」

と言った。家に入ると、とても懐《なつ》かしいせまくて暗い台所で、もうこの世にはいない母が大きな音をたてて、炒《いた》め物をしていた。その後ろ姿は丸くて柔らかく、炒め物の荒々しい音とは全然合っていない。母は振り向きもせず、強い火力でどんどん野菜を炒めていた。母は不器用で、料理をしているときは料理しかできない。いつでもただひたすらに、一心不乱に料理を作っていた。

「今、野菜を炒めているから、手が離せない。なにかあったの？」

と母が落ちついた声で、後ろ姿のままで、すごく適当な調子で言った。

「なにかあっても大丈夫よ、どこへ行こうと、あんたたちは私の宝物。」

それは母の口癖みたいなものだった。子供のころ、泣いているといつも私をあやしながら、母はそう言ったものだった。

そのことが切なくて切なくて、また涙が出てきた。

そんなことを言ってくれる人が私にはいるのに、外の世界は全然違う、ひとりで出て行くのがこわい感じがする……そう思ったら、心細いのがとまらなくなったのだ。

夢の中では母はすごく元気そうに、まだ生きていた。そして私は思った。

「こんなつらいことがあって、もしもお母さんが死んだりしたら、もう私のことをわかってくれる人はいない、この真っ暗な世の中のなかで、私はたったひとりになってしまう。どうにもやりきれないわ。」

実際、母は死んだが、やりきれなくはなかったのだ。私には仲のいい姉がいるし、少しだけれど友達と呼べる人もいる。

でも夢の中ではただただ、あてどなく弱い気持ちで私は炒め物の音を聞いていた。母の後ろ姿、そして姉のそっけない態度、なにもかもが昔のままのその家の中で、私だけが立場も年齢も失って途方にくれていた。

そこで目が覚めた。

今どこにいるのかはじめはわからなくて、こうこうと照らされた明かりの中で、ただぼうっとしていた。

ふっと見ると台所に誰かの後ろ姿があり、夢の続きかと思ったら、それは母とよく似た背中になってきた姉だった。

「今、すごく悲しい夢を見たの。」

私は言った。

「うん、なんかうなされていたよ。」

と姉は夢の中と同じくらいにそっけなく言った。

よかった、全《すべ》ては夢だったのだと思って、私は起き上がった。

夢のつらさで体がかたくこわばっていた。

誰かの悪意は、こんなふうに体にまで影響を与えてしまう。いつのまにか自分まで、ちょっとずつ軸がずれているような感じがした。

なんだか黒いしみみたいなものが世界に広がって、私のちっぽけで弱い気持ちなんて、嵐の中のひな菊みたいに吹き飛ばされてどこかに行ってしまう。

一日レジにいたり、ダンボールを開けたり、質問に答えたり、苦情を聞いたり、混んでいる書店の中で立ち働いていたら、うんと疲れるだろうとは思う。

でも……それをしているのは、あの人本人なのだ。だって、あれは私が選んだ職じゃない。どうしてそれを他人のせいにしたりできるんだろう？

夫の取材旅行につきあって、台湾に行ったことがある。

台北には朝の五時までやっている巨大な書店ビルがあって、いつでも人でごったがえしていた。カフェもあるし、ギャラリーもあるし、夕方まではちょっとしたショッピングセンターみたいなものも併設しているから、きっと働いている人はみんならんと忙しいし疲れ果てているはずだった。

でも、若い女の子たちはきゃっきゃっと声を立てて笑いながら働いていた。休み時間はお茶をして、いろいろうわさばなしをして、身も心も小鳥みたいに軽く見えた。

それはいっぱい、空気の中に自由な空間が生きているからだと私は思った。自由……それは日常の中の小さい自由に過ぎないのかもしれないけれど、みんなそれぞれの立場や収入に合わせて無限の可能性の中にいる感じだった。

なんだかこの国のあちこちに自由のつぶつぶが少なくなっていて、人々は水面でぱくぱくしている金魚みたいに見えた。自由はいつでも、お金だとか時間だとかなにか条件がなければ手に入らないものみたいだった。

まるで「いらいらしなさい」という指令が出ているみたいに、みな楽しそうじゃないし、型にはまっているし、会話もしない。それの最もすごいことが、さっき起こったことだった。そういうことを考えると息がつまりそうだった。それに自分が心の底で思っていたこと……自分なんて、いるだけでよくないのではないか、っていう気持ちが現実になってしまったみたいで、こわいような気がした。

まるで暗黒の舞台で操られる人形みたいに、あの店員さんが舞台で私を糾弾する役をさせられてしまったみたいに思えた。私の心にひそむ「私の、私に対する悪意」がとてもよくないエネルギーになって現実を突き動かした、そういう感じがした。

自分でもちょっと考えすぎだとはわかっていたけれど、このできごとには、そういう奇妙なゆがみが感じられた。毎日ぐずぐず考えたり、なんとなくだるかったりしている私を、私自身がもてあまし、どうしようもできない、それだからああいうことがあったのだと思った。

もっともがいているのなら、もっとものごとはどかんと変化しただろう。私は一歩歩いては座り、また立っては一歩歩いていたけれど、心の中はぐるぐると回っていた。とてもいらいらしている人から見たら、もう私のそのもどかしい動きだけでも腹立たしかったのかもしれない。

これは私が結婚生活に失敗した自分に対する罰として、自分で自分にかけた黒魔術なのではないだろうか……そういう気がした。私の好きな神話の世界では、そういうことがよくあった。心のもようは全部毎日の中に、映画みたいに映し出される。

私のどこか深いところで、まだ、私自身が私をとことん責めているのだ。それが世界に映し出されているに違いない。そう思ったらとても淋《さび》しくなった。無意識のうちにではあるけれど、今や自分さえも自分を見捨てようとしている。

それでも現実の姉の声を聞いたら、気持ちが切り替わった。

夢の中では魂はどこへでも飛んで行けるしどこにも帰属しないから、どうしてもふわふわとした不安が恐怖にまで育ってしまう。

熱いお茶がのどを通っていくほっとする感じを味わいながら、そう思った。

目が覚めてみたら、夢の苦く苦しい部分は消えて、そのかわり甘く切ない気持ちだけが残っていた。何回も洗った麻のシーツみたいに、とろんとした柔らかい感触だった。お母さん、と声に出してみたら、もっと甘くなった。お母さん、私のお母さんが炒め物をしていた……と。

母が炒め物をしている姿を、あの優しい背中や腕の筋肉の具合を、夢の中であっても後ろ姿でも、もう一度見ることができたことが嬉《うれ》しかった。あの光景が温かい明かりみたいに、胸のうちをほのかに照らしていた。

母は戦争できょうだいを三人亡《な》くしているし、私たちが幼い頃に事故で父も亡くしていた。悲しく生きようとしたらきりがないはずなのに、いつでも明るくてさりげなく、私たちのお母さんであることを死ぬときまでやめず、納得いく人生だったから、と言って不思議に明るさを失わなかった。

母はいつでも臆面《おくめん》もなく私たちのことを宝物だと言った。いっしょにいられただけで、お母さんのところに来てくれただけで、あなたたちのことが嬉しいと言った。あなたたちに会えたから、もうこの世の中でしたいことはほとんど終わったと言った。

それを真に受けて育ったから、私も姉もかなりおっとりとしているところがあると思うけれど、このおっとりは母の遺産だと思っていた。

母が人生をかけて大事にしてくれた、私の中にあるこのなにかを、そのまま生かさないとこれからはだめだな、もう、違うものと組み合わさって勉強したりして、珍しい経験を作る時代は終わった、これからは自分を守り育てていくんだ。

そういう考えも、母の最後の日々に、母の生命力が弱っていくのに比例して、まるでもう伸びるのを止められない植物みたいに、どんどん育っていって、結局私の結婚生活の土台をぐいっと押し上げてこわしてしまった。

母は病院に入院してもしょげたりすることはなく、すごく痛いとき以外はいつでも大丈夫なままだった。一時帰宅するときはいつでも私たちのために、自分は食べないのに料理を作ってくれた。

父の遺したお金と姉の稼ぎをつぎこんで、私たちは母の最後の日々のために個室を用意した。そこにいつ電話をかけても、母は家と同じように明るい声で「はいはい」と言って出た。家の電話に出るのと同じ調子だった。母がいるところは、どこであっても母の空間なのだと私たちは安心した。母がどこに住んでいても、たとえそれが病院であっても、それはなにかの間違いみたいなもので全然気にならない、母は死なない、そういう錯覚をすることができた。そういうふうに、母は最後まで私たちの母としての態度を崩すことはなかった。

私と姉は最後まで母に甘え、相談し、笑顔を絶やさずに母を送ることができた。

あんなに悲しいことなのにどうしてそんなことができたのかすごく不思議だったけれど、死ぬ前の母は透き通ったようになっていて、部屋の中はなんともいえない輝きに包まれ、果樹園のような豊かさがあった。体はどんどん弱っていっても、目の奥にある母の光はなくならなかった。そして別の力みたいなものが母をどんどん強くしていった気がする。肉体のつらさが増せば増すほど、母は別の力を得ていった。もちろん人が死ぬときだから、ショックなことはたくさんあった。昨日まで体を起こしていたのに、もう起きることができないとか、昨日までは意識があったのに、もうなかなか戻ってこないとか、そうやって一段階ずつ、私たちは納得した。それでも私たちの涙はまるで光の中で温かく流しているみたいに、つらくなかったし、たまらなくなかった。

そして母が死んでからは「自分の人生をああいうふうに終わることができる人生でありたい」ということが、私の考えの中心になった。

終わりのところを想像すればするほど、むだなことをしたくないという気持ちが強くなった。

そういうふうにいろいろ、人生を人生として思いなおし始めたら、どんどん夫との足並みが合わなくなっていき、逆にそのことをわかちあうことができた姉との距離が再び、幼い頃のように近くなってきた。

それは不思議な感じだった。幼かった過去の時期に戻りたかったのでも、行き所がなくなって姉の家に転がり込んで行くのでもなくて、今は姉のところに行くしかない、そういうふうに思えたのだ。そしてもう夫との家でやることがないことがますますよくわかった。

とにかく植物の実が自然に腐って落ちていくみたいに、そこからまた新しく種が芽を出していくみたいに、私は新しいページに入る時期をそうしてむかえていったのだった。

私は、今の自分がこの離婚から来る、ぐるぐるした堂々巡りの考えから抜け出す処《しょ》方箋《ほうせん》を真剣に考えてみることにした。

もちろんほとぼりが冷めれば本屋さんにもまた行けるし、うまくすればあの人も「あのときはいらいらしていました」とかなんとか、あやまってくれるかもしれない。でも、きっと私が私を嫌いな限りは、似たようなことがくりかえし起こるだろう。だから、今乗っている電車を乗り換える必要がある、なにかを変えないと……そう思った。

目を閉じてまず浮かんできたのは海だった。

そして目をあけたら、ふと、ほんとうにふと目に飛び込んできたのだけれど、私が長いあいだずっと大事に育ててきて、今では三十センチくらいに育っているがじゅまるが植わっている植木鉢が目に入った。

ああ、きれいな葉が茂っている……私は思った。今年もきれいな枝が伸びてきて、若い色の葉がたくさんついていた。

突然、私は小さくなってそのがじゅまるの木の根元に憩《いこ》っているような気持ちになった。まるで海辺で風に吹かれながら、たくさんの葉をつけた大きな枝を見上げているみたいな気持ちだった。

そうか、この気持ちが足りなかったんだ……ぼんやりと私は思った。

海が見たいな……それから、顔に気持ちのいい風や、強すぎる光が体にあたる感じがほしい。そのとき、体の底からそういう気持ちがわきあがってきて、もうどうにも止まらなくなった。疲れていてわからなかったけれど、したいことがやっとわかったのだ。本能の声は聞かなくては、と私は思った。

「お姉ちゃん、私、ひと足先に沖縄に行こうと思うんだけど。できるだけ早くに。」

私は言った。

私が、煮詰まってくるとすぐ旅行に行くことを知っている姉は、

「いいよ、別に。でもなんで？　ひとりになりたいの？　それともなんかあったの？」

とこちらを見もせず、TVを観《み》たままで、野菜をもぐもぐ食べながら言った。忙しい仕事を終えて、ほんとうにくつろいでごはんを食べている横顔は、まるで幼い頃みたいに無邪気に見えた。こんなに近くても別の流れの中にいて、でも、そのことが悲しくない。同じ空間を共有しているだけでよかった。

私ははじめ、今日のことを言おうと思った。でも姉がとてもおいしそうに野菜を食べていたので、やっぱりやめた。

姉も今たまたま男の人が切れている時期だったので、私がお手伝いさんとしてやってくるにはちょうどよかった。

お互いに「恋愛をしてそれが本格的になって相手がじゃまものになったらすぐにこの暮らしは解消しよう」といううきびしい取り決めをしていたし、悩みは「この楽な暮らしが続いて、いつのまにかふたりともおばあさんになっていたらどうしよう」ということくらいだったけれど、まあ、それならそれでいいか、とふたりはよくため息をついた。

たまにどうしようもなく相手をうっとうしく思ったりするけれども、気心がすみずみまで知れているからそういうときには出かけていればよかった。

その場ですぐに、今日起きたことを姉にだーっと話して、旅にでも出ないともういじけてしまって息が詰まりそうなくらいにショックだったんだ、と言えたらすごく楽になるような気がしたけれど、そして、それを言ったら姉はすぐに私の気持ちが理解できるとわかっていたのだけれど、さっきの夢の中でいろいろなものを出しきった気がした。

「ううん、ただ、ガイドブックをいっしょうけんめい見ていたら、一刻も早く旅行に行きたくなっただけ。」

私はさっぱりと言った。姉も見破ることなくうなずいた。

胸につかえていたやりきれなさはほとんど消えつつあった。

寝て起きるってすごい癒《いや》しだなあ、と私は感心した。見ているあいだはうんと悲しかったけれど、その代わりにメスで切り取るみたいにすばやく、私の今日の傷を治してくれた。

私にとって夢はいつでも、そんなふうに私のほんとうの気持ちを教えてくれるもうひとつの世界だった。

せっかく母にも夢で会えたし、今ゆったりした気持ちでいる姉に暗い気持ちをたれながすのはいやだったのだ。

ガイドブックを読んでいるうちに姉は風呂《ふろ》に入っていて、風呂のほうから歌が聞こえてきた。

風呂で歌うのは姉の小さいときからのくせで、それを聞いたらすぐ私の心は幼い頃に帰ってしまう。

私たちが考えることやすることの源は、みんな小さいときに世界に触れて得たエネルギーから来ているのだと、こういうときにいつでも思う。

姉のへたくそな歌が風呂に響いている音を聞いたら、私の中から得体のしれない強い力がわいてきた。都会の真ん中のありきたりなマンションの部屋にいてなにも新しいことなんか起こってないのに、どんどんわいてくる。

もっと地面に近くて、もっと夕焼けにびっくりしていたあの頃の、余計なことを考えずにただ感情のままに流れていた時間の力がよみがえってくる。それは脳の中からではなく、体の記憶からだ。私の筋肉だとか、細胞だとかがみんなおぼえていて、なにかを解き放つ、そういうふうにでも言わないと説明がつかないような懐《なつ》かしさの力が波のようにくりかえしわきあがってくるのだ。

あの頃も同じように、姉の声は風呂の天井に反響して湯気のなかで響いていた。あれ？　と気が抜けるような甘い感じに音程がはずれるのも同じだった。

その歌を身近に聞いていた頃の幼い私は今よりももっともっとぼうっとしていて、曇ったタイルを何時間でも見ていることができそうだった。小さなビンの形に何時間でも空想していられた。

生きているものはみんな全《すべ》て、草もカエルも金魚もなんでもかんでもがすみずみまで生命をはちきれさせていたし、町は無限の生命の重なり合いでできていて、やっぱり見飽きることはなかった。親というものは永遠に生きている大きな山のようなものだったし、お父さんがこの世でいちばん大切な私たちを置いてこの世を去るはずなんて絶対になく、お母さんが私たちよりも先に死ぬなんて、ありえるはずもない。彼らは絶対的に、いて当然のものだった。

その頃に感じていたこの世のエネルギーのうずまきは、そうやってたまに魔法のような輝きをもって、ふいに切なく訪れる。世界が変わったんじゃない、私が鈍くなってしまっただけなんだ。

その考えは私に活気と、自由な空気を与えた。

「じゃあ、気をつけて……でもほんとうに今から行くの？　今すぐ？　すごい行動力だなあ。」

姉は私の作った簡単な朝ごはんをのんびりと食べながら、まだびっくりしている様子だった。

「私もそう思うけれど、なんだかいつのまにかこうなってしまったのよ。」

私は言った。

なんとなく気の向くままにてきとうにホテルに電話してみたら、シーズンオフですいていて、すぐに部屋が取れてしまった。そして行きの飛行機もがらがらであっという間に取れてしまった。だからすぐに出発することにしたのだ。

ぼんやりしたまま、カバンにとにかく歯ブラシなんかを入れているときはまだリアリティがなかったのだが、ビニールバッグとビーチサンダルをつめたときにはじめて、ああ、旅行だと思えた。

でも昔の私は、こういうふうに意外に思いながらいろいろ感じていくことがいちばん好きだった。最近はすっかり型にはまってしまっていたな、と思った。

朝の光はすばらしくて、なにが起こるかわからないけれど、それでもすてきな意味でいつもと変わらない一日を約束してくれるものだったはずだったのに。いつから忘れていたのか、思い出せなかった。最近の朝の光は事務的にやってくるものだった。できれば起きたくない体を床からひきはがすだけのものだった。そして事務的に歯を磨いたり、お茶をいれたりしているうちに、なんとかはじまっていくのが一日だった。

「お姉ちゃんはいつ来る？」

私は言った。二冊買ったガイドブックを一冊置いていってあげることにした。

「今週いっぱいは締め切りだからなあ。でも追いかけるよ。西表島《いりおもてじま》にできたナナ子さんの店にも行きたいし。」

姉は言った。

「じゃあ私とりあえずずっと本島にいるから、お姉ちゃんがもし来たら、いっしょに西表に行く。」

数年前に、姉は取材でとてつもなくおいしい野菜料理を食べたとくり返し言っていた。その女性が西表で新しく店を出したので、いつか行かなきゃ、というのは姉の口癖のようになっていたのだ。

「わかった、じゃああんたはとりあえず本島にいて。私は西表をメインに考えようっと。」

姉は言った。

「早く来てくれないと、お金が続かないよ。」

「そんなにすごく遅れることはないって。民宿とかビジネスホテルでつないでおいてよ。」

「じゃあ、飛行機が落ちるか、すてきな男と恋に落ちるかしないかぎり、私は来週には西表に行けるような心づもりをしておくね。」

そのとき、私は冗談でそう言い、姉は、

「飛行機はともかく、恋に落ちても西表にはちゃんと行けるよ。ぜひ現地の人と恋に落ちて、向こうで民家でも借りて、私の別荘をずうっと確保してよ。毎週末に行っちゃうわよ。だいたいいつまでもあんたに居候《いそうろう》されたら、恋人ができにくいもの！　やきもち焼いたりしないから、がんばってナンパでもしておいで。」

と言った。姉は昔から、そういうことをさらっと言い当てるところがあった。

私は男に飢えていなかったし、男を捜しに行く旅でもなかったのに……。

ただ、今、ここを離れないと私がおかしくなってしまうと思っていただけだった。

そういうタイミングに動くことこそが、きっと、全てなのだ。求められているときに求められた動きをすること……まるでスポーツの試合のように、ただ全身で、その場に求められていることを判断すること。

そうしたら扉は開く。

別に幸運に向かってというわけではなく、ただ、自分の道に向かって。とてつもなく大きななにかの流れに乗って。

まだまだあきらめない、と私はそのときエネルギーもつきてかすかすだったのに、まるで負け惜しみみたいに、しっかりと思っていた。

お母さんに最後にもらった宝や、夫だった人といっしょうけんめいいっしょに勉強したいろんな宝を持って、また次の世界に行くんだ。次の世界でいちからまた新しく、いろいろなものを見るんだ。あんなことぐらいで負けちゃだめだ、私はガイドブックをちゃんとこれからも選んで買うんだし、書店に行くことも好きでい続けるんだ、誰とも違う自分のペースを大切に抱いていかなくては……。

そして私は軽装で、空港に向かう電車に乗った。

もともと、かすんだような都会の春の空気があまり好きでなかった。いろいろなものがほこりっぽく見えるのに、まだ空気が冷たい。そうして体の表面が冷たくなると、なんだか呼吸が浅くなって酸欠になってくる。気圧が低いことが多いから頭がぼうっとして、すてきな考えもなにも浮かばず、そういう私自身がこの世界全体のお荷物に思えてくる。そもそも、春先は昔から、もともと私にとってそういう冴《さ》えない季節だったのだ……。

私は散りかけた桜があちこちをピンクと緑に彩《いろど》っている街並みを眺めながら、そういうことを考えていた。

羽田空港にはたくさんの人がいた。

旅に出るという浮かれた気持ちがあるせいか、人々は町で見る人たちよりもずっと表情豊かに見えた。お弁当を選ぶスーツ姿の人さえ、生き生きとして見える。みんながいつもこういう感じで表情を出してくれたら、もっと住みやすいのにな、とただでさえ楽しそうには見えない日本人に対して、少し悲しい気持ちになった。あの店員だって、抑えて、抑えていつも無理をして過ごしていたからあんなふうに爆発することになるのだと思う。

　女優をやめて結婚したとき、私はなにかを変えなくてはいけないような気持ちになり、どうしてだか着るものやお化粧も楽しさをひかえてまじめに見えるようにしたものだった。なにか捨てなくてはいけないと無意識に思っていたのかもしれない。

　でも、違った。人生はそんなにふところの浅いものではなくって、私は嬉《うれ》しかった。いつだって私にはその瞬間がやってきた。生きているだけで、嬉しいような感じ。身のうちからじんわりと幸福がこみあげてきて、あと少しで走り出しそうなそういう感じは、なくなりはしないばかりか、そのあとも何回もやってきた。

　いつしか私はまた華やかなきれいな色の服を着るようになり、袖《そで》のないブラウスを好み、派手な髪型ももどってきた。

　そうやっているうちに、まるで一人暮らしの人がふたりいるような生活になってしまったけれど、長く続けるためにはかえってそういうのがいいと私は思っていた。もちろん夫も口ではそう言っていたけれど、ほんとうは違ったみたいだ。

ふたりの時間の流れ方はまるっきり違っていた。夫の時間は前へ前へと続いていくもので、私の時間は一日のうちでも何度も立ち止まり、その場所で無限に豊かさをたたえてふくらむ風船みたいなものだった。

そういう理解できない私の流れに対する怖《おそ》れのようなものが、夫の中でつもっていくのを止めることはできなかった。

私が私として、私に忠実に呼吸するだけで、どうして？　どうして愛する人にいやがられるの？

何回もそう思った。

姉にそのことを言うといつでも、

「結局タイプが合わないいんだよ、でも若いときって、合わないほどひきつけあったりするからさ。」

とだけ言ってくれた。

「でも、あんたがそう見えるよりも自信がなくて、人のことを気にしてあげる性格だっていうことは、いつまでたっても彼にはわからないみたいね。」

姉のその言葉を何度も思い出した。それがなかったら、いつでもそれを思い出せなかったら、どこかの段階で私は傷ついて倒れこんでしまっていたかもしれない。

わかってもらえるということはただそれだけで、もう「今寝てもいいよ」っていうふうにふわふわに整えられたベッドを用意してもらっているのと同じくらいに、ほっとさせられるものだ。


飛行機でちょっと眠ったり、雑誌を読んだりしていたら、やがて島の形や湾や珊瑚《さんご》礁《しょう》が、真っ青な海の中、強い光にさらされているのが見えてきた。

予定をたてようとするとどんどん時間が短くなるような気がしてきて、私はあせった。あせっていると三日間なんてあっという間にたってしまうから、落ち着かなくては、と思った。落ち着こうとしてゆっくりと深呼吸していたら、いつのまにかほんとうに落ち着いてきた。時間が急に蜜《みつ》みたいにとろりと流れ出して、ゆるやかになり、ふわっと自分がその中に漂っていた。さっきまで日常……しかもそうとう冴えない日常の中にいたのに、今はすごい陽射《ひざ》しが窓から入ってきて機内がまぶしい。それだけで、もういいとさえ思えた。

空港の通路のベンチに座って私は靴下を脱ぎ、さっそくはだしになった。

そして、おなかが減ったので空港の食堂に行って、沖縄そばを食べた。いつも、ただでさえ食べるのがのろくて姉にいらいらされる私だが、今は全く時間に追われていない。だから、誰にもなんの気がねもなく、だらだらと食べた。そばを一口食べて、ビールを一口飲んで、まわりを見回して……自分の今いるところを夢みたいだと思って、また一口食べて……行き交う人たちの様子をじっと観察して、店の人たちのきびきびした様子に感心したりしていた。ほんとうにおめでたい人間だと思うが、そしてそのことでもしも、あんなふうに誰かにうとましく思われても仕方ないと思うが、私はそれだけでもう大丈夫になってしまうのだ。

夢も野心もなく、ただじわじわと、生きているだけで嬉しい……。

それが人生というものだと私は信じていた。

そう、それでも夫がいちばん大切にしていることを理解してあげられなかったのは、私の悪いところだったと思う。足をひっぱる気持ちは全然なくても、足並みがそろわなかった。私のいちばん好きなことはとても言葉にはできないような感じのことばかりで、その何かは夫の「口に出して言える目標」みたいなものの前でかすんでしまいそうだったのになぜか死ななかった。死なずに私の中にふんばって小さく呼吸し続け、ふたりの足並みをますます合わなくしていった。

私は、夫のはっきりと目標をもって動いていくところが全然いやではなかったのに。いつでもその前へ前へと走っていく力にひきつけられたし、心の中では握りこぶしをつくってうんと応援していた。でも、そのところはどうやっても伝わることがなかった。いつでも彼は淋《さび》しそうだったし、わかってほしそうだった。わかっていないわけではなくて違うだけだ、と説明しても、私のことを違う世界に住む人だと彼は思い始めた。「体ごと参加してあげられなくて悪いなあ」という小さな罪悪感みたいなのがつもり重なって、私はいつのまにか人生に対してどんどん居心地が悪くなっていた。こわい夢ばかり見たり、頭が痛くなったりした。

私の中にそういう弱さがあることを、私さえも知らなかった。

ホテルにチェックインして、そのせますぎる部屋に自分の荷物を広げ、ツインのベッドの片方にごろりと横になった。外はまだまだ暑くて陽射しも強く、とても散歩したりする気になれない。町にも人影はない。建物の影が濃く、風もないでいる。

一人旅なんて、結婚して以来一回もしていなかった。

手配を自分でしなくてはならないし運転ができないから動くのがとても面倒くさいけれど、とにかく気楽だった。夫は名所旧跡は好きじゃなかったけれど、行きたいところに関してはなにもかも予定を立ててそのとおりに動く人だったので、私はそれについていっていろいろ見るだけだった。でも、いつでも追い立てられているような感じはした。

ほんとうはそのことがうんといやだったんだな、と私ははじめて気づいた。人は自分のペースで動けないと、長いあいだにはきっと病気になってしまうんだ、と思った。夫と旅行するとなぜか私は疲れ果ててしまい、帰ってくると丸一日眠ってしまうようなことが多かった。あれはノイローゼの始まりだったのかもしれない。やっぱり別れてよかった……と私は久しぶりに心から、淋しさよりも先にそう思った。

那覇《なは》市内のビジネスホテルだから、窓の外に海なんか全然見えなかった。古ぼけて人のいない裏町が見えるだけだった。でも、私は幸せだった。

……明日は恩納村《おんなそん》のホテルに移ろう、それか、うんとふんぱつして立派なブセナに行こうかしら、前にロビーだけなら行ったことあるけど、とてもきれいだったな……

でもそんなお金の余裕はないか……などと考えながらうとうとしていたら、まるでいやなことなんか一個もなかったみたいに大丈夫になってきた。ほんのちょっと触れただけなのに、強い太陽の光の力や、そこへ向かってぐわーっと伸びていく緑や花の濃い色の植物の力が、もう私を満たしていた。

いつでも、来るたびに私にこんなすばらしいことをしてくれる沖縄に、なにを返せるだろう、と私は思った。

だって私はただ、観光客としてやってきて、力をもらうだけもらって帰っていこうとしているのに。大してお金も落とさないし、土地を浄化したりもしないし、おばあさんの言い残したいことを取材したりもできない。せいぜい忘れた頃に、切り絵でこの自然や言い伝えを表すくらいだろう。

なのにもう着いたとたんにいきなり、沖縄は私にたくさんの光を注いでくれていた。感謝してもしたりないほどのきれいなものを、空港からホテルに来ただけなのに、もうたくさん見せてくれた。咲き乱れる花とか、真っ青な空とか、おいしい食べ物とか、笑顔の人々とか、ちょっと色あせた田舎っぽい街並みの、なんということのない屋根の上からこちらを見ているシーサーたちのかわいさだとか。

ありがとう、と誰にも言えないから空にむかって思った。行き場のない悲しみよりも行き場のない感謝のほうが好きだ。それは光みたいにこの島にどんどん広がっていって、また自分に返ってくるみたいな気がした。ここではたくさんの人が生活していて、自分は観光客だけれど、こういう気持ちになることで、ただお金を落としていくだけではなくなる。きれいなありがとうの足跡を残すことができる。

はっきりと目が覚めたら、だいぶ陽も傾いていた。

私はサンダルにはきかえて、小さいバッグをひとつだけ持って、ホテルから出た。空気がむわっとして、顔にまとわりついてくるようで嬉しかった。まるで龍《りゅう》かなにかの熱い息みたいに、昼の熱かった空気がそこここで息づいていた。

私はその湿った空気の中をゆっくりと、まるで泳ぐように歩いていき、安里《あさと》にある有名な小料理屋さんに行って、もうにぎわいはじめているそのお店のカウンターに座って、しみじみと一杯のビールを飲んでみた。そしてそこの名物の「魚のマース煮」を頼んで、ていねいに食べた。大味な魚なのに、夢のように繊細な味がした。塩と昆布だけで煮ているのに、甘くて、ふっくらとしていた。私は骨をしゃぶりつくして、汁もみんな飲んだ。

町はすっかり夕方で、みんなの顔が子供みたいな金色に見えた。

近くにすわっていた夫婦が話しかけてきて、いろいろしゃべっているうちに彼らが昨日行ってきてとてもおいしかったという、女ひとりでもカウンターで食べることができる高級な沖縄料理のお店を親切に教えてくれた。お店をやっている人が上品な女性だし、スタッフもみな女性なので、いやな思いをすることはないというのを優しく教えてくれ、電話番号も教えてくれた。

そしてその夫婦が誘ってくれたので、今夜はもうどこにも行かず、この店でしみじみといっしょに飲もう、ということになって、泡盛を注文して、ちょっとずつ飲みながらえんえんいろいろとしゃべった。

ふたりとも沖縄が大好きで、三ヶ月に一回は遊びに来るという東京の人たちだった。私よりも少し年上で、マリンスポーツが好きそうで、しっかりと陽に焼けていた。明日も朝からダイビングに出かけるといって楽しそうだった。そういう意味では全然接点がないけれど、ちょっともぎすぎすしていない人たちだったので、いいふうに時間が過ぎていった。ひとりだとあれこれは頼めないおつまみも、みなでとってわいわいと食べた。

そんなふうにしていたら、これが普通で、自分はごく普通に人といられる、あの書店でのできごとのほうが異様だったのだ、と思えてきたのがいちばんよかったことだった。

なんだ、みんな無理しているだけで、ほんとうはきりきりしたくないし、人と笑いあいたいし、おいしいものをゆっくり食べたいし、金色に照らされて子供みたいな顔がしたいんじゃないか。なんのために無理をしてるのかわからないけれど……見栄《みえ》がはりたいのか、お金のためなのか、さっぱりわからないけれど、人を裁いたりするのは、自分のペースで動く人をうとましく思うのは、自分がつらいからなんじゃないか……そういうことの全部がみんなほんとうはやっぱりいやなんだ、だからみんな沖縄に来たがるんだ、と私は自分がぐずぐず細かく考えていたことみんなが急にばからしく思えてきた。

よし、明日の朝は市場に行って、天ぷらをつまみぐいしてすませよう、そして果物や野菜を買って、海のほうに移動しよう……そんなふうに小さい夢をでっかく育てているうちに、ほんとうの夜が来た。

海のある町の夜はずしんとやってくる。

そして真っ暗になって、路地は淋しく影だらけになる。でもその孤独は決していやなものではない。むしろ豊かな感じ……生まれる前にいたところで感じていた風みたいな、そういうイメージだった。宇宙の深さや星空の遠さや、そういう果てしないものにつながっている。

電話番号などを交換してふたりと別れ、生ぬるい夜風の中を歩いた。

旅館の入り口が妖《あや》しく赤く照らされ、お姉さんたちがひっそりと座布団《ざぶとん》に座って誘っていた。立ち並ぶ小さな店の看板はこうこうと明るく、それぞれの店の中ではまだまだ長い夜が続いていた。国際通りではすっかり閉まった店の前で若者たちがバイクに乗ったり、座り込んで大声ではしゃいだりしていた。

歩き疲れて乗ったタクシーの運転手さんは、思い切り沖縄のなまりを入れながら、来たのははじめてか？　タコライスは食べたか？　食べるならどこどこがいいよ、市場には行ったか？　イラブの干したのは買って帰るといいよ、山羊《やぎ》汁はどう？　首里《しゆり》城《じよう》は今ぴかぴかでつまらないけれど、やっぱり見る価値はあるよ、などなどいろいろなことをたたみかけるように話しかけてきたけど、ちっともうるさくなかった。

それは彼がおじさんなのに、女である私に対してちっともいやらしくないからだった。

まるで私が小さい頃のお父さんのように、普通にあたたかかった。

朝、目が覚めたらもう窓の外はかんかんでぴかぴかの光にさらされていた。

ああいいなあ、もう頭が真っ白だ、と私は思った。

だいたい朝起きてすぐに、なにか考えることがあるなんてどうにかしている……少しずつ、都会の混みあったいろいろなことに用心して固くなっていた自分が無意識にしている、ふだんのおかしなくせがほどけていく。ふんだんな光の力、頭がばかになってしまう楽しい力だ。

電話したら、温泉がある海辺のホテルが取れた。

チェックアウトして、フロントに荷物だけあずけて市場に行った。たくさんの野菜を買い、コーヒーも飲んで、立ち食いのブラジル料理を食べた。ひとりだと、ちょっとしたことをしゃべりあう人がいないから、かえって五感が研ぎ澄まされる。うるさい場所にいればいるほど、心は静かになっていく。

市場の外はアスファルトが真っ白に見えるくらいに暑い光に満ちていた。

あの光だけでもう、よけいなことは考えられなくなる……というくらいにまぶしかった。私は買ったかごにさっそくタンカンやトマトやサーターアンダギーを入れて、バスに乗って、次のホテルに向かっていった。私だけのかわいい荷物、これから来る時間への小さいおみやげだった。そういうものはおかしなことに全然重く感じない。

もうすっかり旅のための自分になっていて、フットワークも軽くなっていた。

たどりついた新しいホテルの部屋の窓は海に面していて、青く波立つ海面がずうっと遠くまで輝いていた。そして、少し遠くには岬の突端がよく見えた。切り立った崖《がけ》も見えた。岬の先はおそろしいほどにとがっていて、その根本にぶつかる波の勢いはぞっとするほど激しいものだった。

見ているだけで目が真剣になってくるくらい、迫力のある形だった。

私は水着に着替えてホテルの前の、仕切られたばかみたいなビーチでちょっとだけ泳いだ。それでもすっかり気持ちはゆるみ、子供のころみたいに水に溶けることができた。

そして、シャワーを浴びて、温泉に行って、ただのポカリスエットをちびちび飲みながら扇風機の前の椅子《いす》で涼んで、そのあと部屋でお昼寝をして、また夕方が来て……私は昨日紹介されたお店に向かってぴかぴかになって出かけていった。そう、海で清められて、お昼寝でゆるめられて、まっさらの私……これまでの経歴も経験もみな忘れてしまった私で、出かけていったのだ。髪の毛なんて乾かしきれず、ちょっと濡《ぬ》れたままで。

今思うと、その感じがとても大切だったということがわかる。

新しいことが起こるのにいちばん必要なこと、それはそういう感じなのだろう。だってもうなにが起こってもいいし、なにも起こらなくてもいい。ただ自分がここにいるだけでもう充分にぴかぴかしているのだから。

その沖縄料理屋さんはほんとうにしゃれていて、古い建物なのにすみずみまで磨かれていて内装もこっていて、全《すべ》ての食べ物がていねいに作られていて、つきだしで出てきた豆腐ようさえも今まで食べた中でいちばんおいしかった。会席料理ふうに、小さなお皿で上品なものがちょっとずつ出てきて、ソーミーチャンプルーでさえも島らっきょうを細かく刻んだものが載っていてうす味で、高級料理みたいになっていた。これは姉に知らせなくちゃ、と思いながら、しみじみと食べた。満席だったけれど、お店の女の人たちが優しく話しかけて気をつかってくれたので、気詰まりなことはなかった。

そしておいしい泡盛にも満足して、店を出たときにはもうすっかりぽわんと酔っていた。

それでも……なにか足りないんだなあ……と思いながら、私は裏道をどんどん歩いていた。夜は暗く水気を含み、潮の匂《にお》いがむっと香ってくる。ホテルに帰ろうか、と思ったけれど、なんとなく物足りなくて散歩をしていた。

出会いもあったし、海でも泳いだし、最高の品のいい料理も食べた。ふと思いたって来た旅の二日目にしてはここまでやれば上出来だろうと思った。でも、なにか違うんだなあ、もうちょっと勢いがほしいというか、下品さが足りないとでもいうか……もう私も若くないからしかたないのかしら、などとあれこれ考えてぼんやりと歩いていた。

あたりにはスナックや小さい店の明かりがいっぱいあった。外が涼しいからと出てきているホステスさんたちも、小さな声で立ち話をしていた。

私はあてもなくすたすたと歩き続けた。やがて盛り場も終わりかけて、暗くなるあたりで、ゆるい坂道を登りきったら、とんでもなく明るい店が角のところに見えてきたのだった。

はじめ、その店は木の陰に隠れて全然見えなかった。とても大きな、トンネルみたいながじゅまるの枝の中に、店の入り口が埋もれていたのだ。それはそれはうっとりするようなみごとな木で、枝の一本一本、葉のすみずみまで力に満ちていた。よく世話され、長くそこにあって、今にも夜の中へと動き出しそうだった。

いいなあ、ここにもがじゅまるがあった。うちのはこれに比べたら赤ちゃんみたいなものだけれど、枝も葉もとてもよく似ている……私はすっかりひきつけられて、そう思った。

店全体が半分野外というか屋台の延長のような感じで、屋根はあるけれどそこからぐっと道のほうに席が張り出していた。

電球に照らされた小さな看板には「アンティパストとパスタの店『青い鳥』」と書いてあった。

沖縄料理じゃないのか、残念……と思ったあとに、はたと気づいた。別にいいんじゃないかしら、沖縄料理ばっかりがつがつと追わなくても、と。

そして私はビニールシートで覆《おお》われている店の中をのぞいてみた。

丸いすと適当なテーブルがごちゃごちゃしている中で、人々が陽気にうにのスパゲッティーニとかワインを飲んでいる。魚のマリネみたいなのも食べているし、ゴーヤーとチーズが同じ皿に載っている見たこともない前菜風のもので泡盛を飲んでいるカップルもいた。楽しそうだったので、私はふらりと入ってみた。

すらりとしてふくらはぎのしまったとてもかわいい、ぱっちりとしたつり目をした四十代前半位の真っ黒い女の人が「いらっしゃいませ！」と笑ってくれた。そして私は奥にある小さいテーブルに座った。メニューを見たら、品数はそう多くないが創作料理がいっぱいで、すごく楽しい感じだった。タコとかウニとかカニを使ったパスタと沖縄の素材を使ったさまざまな前菜がそこには書かれていた。

店の中はレゲエが大きな音でかかっていて、薄暗いけれど不潔さはなくて、にぎやかだった。

さっきの女の人はこのお店のリーダーらしくて、あれこれ指示していろいろなことを仕切っていた。そしてオープンキッチンにはどう考えても彼女のお母さんであろう、彼女そっくりのおばさん……多分六十くらいの……がひとり、がんがんと料理をしていた。気持ちのいいほどの勢いで炎が燃え立ち、湯気がたち、おばさんはきりっとバンダナを巻いてパスタを炒《いた》めていた。その様子はうちの母が炒め物をしているのとは比べ物にならないくらいの集中力を感じさせた。まわりの空気がすっと澄むような感じだった。作っているのはタコとゴーヤーとにんにくのパスタらしかった。とてもおいしそうだ……。私は迷いに迷って、「田芋《ターンム》と魚介のフリッタータ」というのを頼んでみた。海の塩につけて食べると書いてあり、おいしそうだった。

さっきの女の人がすすめてくれたシチリアの白ワインを飲みながら揚げたてのフリッタータを食べていたら、それはもう天国かと思うようなおいしさで、量もぜんぜんけちけちしていなくて食べきれないほどふんだんにあって、私はだんだん笑顔になってきた。ひとりでも笑顔になることってあるんだ、とシートの隙間《すきま》の星を見上げながら私はにこにこしていた。

そのとき、突然ナンパの声がかかったのだった。

その男の子は見るからに年下そうなへなちょこな感じだった。目がくりっとしていて、眉毛《まゆげ》も太い。でも首は細くて、体も長細かった。彼はふにゃふにゃと私の席に丸いす持参でやってきて、いすを置き、腰かけた。にこにこしているのは酔っているからだろう、と思われた。目が遠くを見ているような、幸せそうな目だったのだ。

私もわりと幸せな気持ちだったので、いやな顔ができなかった。丸いす持参って、すごいなあ、と感心もしていたのだ。

「やっぱり、ピンキーちゃんだ！」

彼はそう言った。

「ずっと会いたかったんだ、僕の初恋のピンキーちゃんだ！」

私はびっくりした。それは十年以上も前に、夫の脚本で私が演じた陽気なホステスの役名だったのだ。

「よくわかったわね……。」

私は言った。

「うわ〜、ピンキーちゃんがおふくろの料理を食ってる！　なんてことだ！」

彼は言った。そして、さっきの女の人を大声で呼んだ。

「姉ちゃん！　たいへんだ！　ピンキーちゃんが来てくれた！」

すると店をしきるお姉さんはすたすたとやってきて、

「あんたお客さんにからむんじゃないよ！」

と言い、私を見てにっこりと笑い、

「すみません、このバカ弟、きっと酔っ払ってるんです。手伝いもせずに。」

そうか……あれがお母さん、これが娘さん、そしてこの男の子……といってもまあ二十五歳以上であることは確かなこの子が、息子なんだな、と私は推理した。

「僕はさっきまで死ぬほど手伝ってたもん。」

と彼は言い、

「姉ちゃん、いいから、よく見てくれよ、これはピンキーちゃんだよ。」

とうながした。お姉さんは私をじっと見て、すごく驚いた顔になり、

「……ほんとうだ、この人、あんたの初恋の人だ。すごいじゃん！」

と言った。

みんながあのドラマを見ていてくれたことが、ちょっと嬉《うれ》しかった。

「うちの弟、あなたのことが好きで好きで、昔確かにポスターとか、ステッカーとか盗んできたりしてましたよ。本気で結婚するって言ってましたよ。それはうそじゃないよ。もしよかったらいっしょに飲んであげてよ。サービスするからさ。」

と言った。

そんな～と思ったけれど、その男の子はまるで子供みたいに見えたし、ふんいきも楽しい成り行きだったので、別にいいかと思えた。これだけ保護者がいれば、別に悪いことにもなりようもない。

彼は会話などとてもできないといった感じで私をじっと見つめ、

「間違いない、すっかり老《ふ》けてるけど僕のピンキーちゃんだ……。」

と失礼なことを言いながら、私の長い髪の毛をさわっていた。

それが、不思議といやな感じではなく、彼の真剣な目と案外しっかりした肩と、きれいな水色のTシャツを見ていたら、なんでも好きにするがいい、という気持ちになってきた。彼には、女家族にひとりだけいる男の子にしかない、ある種のかわいらしさがあったのだ。

「あなたって、女の人はみ～んな、絶対に自分を許すってわかってるんでしょう！」

と言ってやりたくなるような感じだった。自分がいい子であることに、何の疑いもなくまっすぐに近づいてきた。

お姉さんはたまにやってきては、あら、しょうがないやつめ、迷惑だったら突き飛ばしてくださいな、と言いつつ、とても忙しそうだったので、何もしてくれなかった。

そして、お詫《わ》びになのかなんなのか、おいしいおかずをちょっとずつ置いていってくれた。ワインもいつしかフルボトルが目の前に置かれていた。それをその男の子とふたりでしみじみ飲むことになった。

「おふくろの料理、最高でしょ。こんなこと言って、ほんとうにばかみたいだけど、ほんとうにうまいと思うんだ。」

彼は言った。

「おふくろはイタリアが大好きで、おやじが死んでからはしょっちゅうナポリに行っていたんだ。それというのも姉貴にイタリア人の彼氏がいてさ、まあ、とにかくしょっちゅうみんなイタリアに行くんだよ。それで、うまいものを次々に覚えてくるんだ。」

「だからこんなにオープンな感じなのかな。」

私は言った。

「そうそう、あいつらはもう半分以上イタリア人だから!」

彼は笑った。

「あなたの名前はなんていうの?」

私はたずねた。

「ピンキーちゃんが僕に名前を聞いてくれた……。」

彼はびっくりして言った。

「だから、なんていうの？　私はほんとうはピンキーちゃんじゃないよ。」

「ほんとうの名は言わないで！　ほんとうに好きになっちゃうから。」

彼はぴしっとそう言った。

「ほんとうに好きになったら自分がどうなるか、こわいんだ。」

「じゃあ、言わない。」

私は笑った。

「僕のことはトラッキーって呼んで。ピンキーとトラッキーだよ。」

彼はにこにこして言った。私は言った。

「いやだ、私、阪神ファンじゃないもの。そんな名前楽しく呼べないわ。どうしてもあのトラッキーが浮かんできちゃう。」

「じゃ、姉貴たちみたいにトラって呼んで。」

「わかったわ。」

私は言った。ただ、名字で呼ぼうと思って聞いてみただけだったのに、あだ名を教えられて、親しさが増さざるを得ない感じだった。

いつしか時刻は0時を回って、店は安っぽいネオンの看板をしまっていた。近所のさしみ屋さんの電気も消えた。「トラ」のお母さんは厨房《ちゅうぼう》でほっとひと息ついたらしくてワインを立ち飲みしていた。お客さんもじょじょに帰り支度を始めた。そして、お姉さんは他のテーブルのグループのところですわって話し込んでいた。

トラは私の肩にもたれて、幸せそうに町を眺めていた。人間のぬくもりにちがいないのだが、犬や猫みたいでもあった。

そうか、この人はお調子者かもしれないけれど、犬や猫と同じでうその言葉を口から出さないから、私の体がいやがらないんだ、そう思った。

「トラ、年はいくつなの?」

私は言った。

「三十二。」

と彼が言ったので私はぎょっとした。このマザコン、シスコンぶりといい、家族べったりで仕事もこれらしいところといい、甘えぶりといい、この女性慣れした態度といい、迫り方の感じといい、若く見えるところといい、こりゃあ、ほんもののダメ男だ！　と私は確信した。

「ダメ男、何人知り合えどダメはダメ」と心の中で、川柳まで作ってしまった。

きっとこの男はいくら恋愛しても、たくさんのダメなエピソードしか作れないに違いない、と私は思った。でもきっとそのだめなエピソードがいちいちいいんだろうなあ。でも三十三歳にもなってそんなこと言ってられないかな……。

それでもその時、星空を見上げて感じていた安心感を私は忘れられないだろう。

久しぶりに何か大きなものに包まれているような感じがしていた。

あまりにもはっきりと光っているので、星の光が目にしみてくるようだった。月もその真っ白い光をこうこうと天空に放っていた。手をのばしたら触れそうなくらいすごく近くに思えた。彼のしっかりしたぬくもりが私を大地につなげていた。いやらしい気持ちには全くならず、小さいとき飼っていた雑種犬のシロに寄り添って空を見上げていたことを、思い出した。人のぬくもりがあると、視界がひらけて、空が大きくなる。

今、私は自由でとても善き力に囲まれている、確信を持ってそう思えた。

ああ、なんだかいいなあ、急に来たところでこんないい人たちに会って、あったかい人と寄り添って空を見ているなんて夢みたいだ、いい気持ちだ、そう思った。この人生はやっぱりこれでいいと思えた。その証拠みたいなものが、たまにこうやって降ってくるから。

急できらきらしていて、ちょっとわくわくさせるようなことがちゃんとあるうちは、まだまだ気持ちよく手をふって歩いていくことができる。でもそれは追いかけていくと猫みたいにささっと物陰に隠れてしまう。追いかけはしないけれど、私はいつでも待っていた。びっくりするようなそういうことを。

店が終わってもトラは私から離れなかった。

「かたづけ手伝いな！」

とお姉さんに言われても、

「ピンキーは今、ここにしかいない。だからいやだ。今をのがしたら、もう二度とそばにはいてもらえないから。」

とトラは言った。私もそこまで言われると決して気分が悪くなかったので、

「まだいるからかたづけ手伝ってあげてくださいな。」

と言った。

彼は「うそ、ほんとに?」と言って立ち上がり、てきぱきとテーブルや椅子《いす》を運び始めた。どうも見た目ほど酔ってはいなかったようだ。そして重いビールのケースなどもしっかりと運んでいるので、役にたってない奴《やつ》ではなさそうだった。やがて彼らのお母さんが暗い店の片隅でまかないのとてつもなくおいしそうなリゾットを食べはじめて、私のことも呼んでくれた。もうおなかいっぱいだったけれど、一口だけもらった。残り物の海の幸がこれでもかと入っていて、すごくおいしかったのだ。ほんとうに料理のうまい人の味は、口の中ではかなくすぐ消えてしまう。お礼に私は残っていたワインをふるまった。お母さんとお姉さんはちょっとはすっぱな感じでありがとうと飲み始めて、とてもかっこよかった。

「姉貴の彼氏はナポリの人なんだよね。」

トラは言い、

「そうなのよ、休みごとに遊びに来るのよね。こっちもバカンスで必ずたずねていくの。」

とお姉さんはのろけた。そして、のろけると急に色っぽくなった。

「おやじは鹿児島でサラリーマンやってんの。」

とトラは言った。

「うそつき！　亡《な》くなったって言ってたじゃない。」

私はびっくりして言った。

「僕、うそつきじゃないよ。」

トラは言い、

「あたしにもだんなくらいはいるわよう！　この子達の父親はもうずいぶんと前に死んだけど、新しいだんなはとっくにいるのよ。私はまだ現役だからね。」

とお母さんは笑った。

「こっちにいると職がないし、まじめな人だから、いっしょに暮らしてると調子が狂っちゃうみたいなのよ。だから週末だけの通い婚なのよね。」

照れ方はお姉さんと同じだった。こういうつやっぽい女たちに育てられたトラはほんものの純粋培養なんだな、と私は思った。ここでしか生きられず、でも、ここでは何の問題もない。そういう種類のダメさだった。

私が演じたピンキーちゃんというホステスは、とにかくおっとりしていてこの世の中の醜いことをあまり見ないという、かなりステレオタイプな感じの役だったけれど、ちょうどそのころ私を好きだった元夫が脚本を書いていたので、妙に私の性格とか見た目とぴったりきていて、とても魅力的な人物にできあがっていた。

私はピンキーちゃんじゃないけれど、このような強く優しくちょっと変わった女性たちに囲まれて育ったトラが、ピンキーちゃんにひきつけられたのが嬉しかった。私本人も、たまに「ピンキーちゃんを生きた」ときのことが懐《なつ》かしく、私ではないその性格になぐさめられることがあるのだ。

あの、ゆったりと流れるようなムードを身にまとえば、この世を生きていくのはこわくないとさえ思ったものだ。

そしてトラは笑いながら、こう言った。

「おやじが死ぬときに、最後までみんな楽しく笑ってたんだ。だから、おふくろは新しいだんなをつくるときも、ずっと後ろめたくなかったんだよ。」

それは私にとって、魔法の言葉だった。やっぱりありうるんだ、私たちの頭のねじがゆるんでいたわけじゃなかったんだ。大好きな人を、笑いながら見送ってもいいんだ……。

「私もお母さんのとき、そうだった。」

私は言った。

「うん、おんなじだ。」

トラは笑った。

「いい奴が死ぬときは、誰も泣かせたくないから、がんばるんだよ。最後の力で。」

この人の言い方はいいな、なにを言うときもいいなあ……と私は思った。

「じゃあ、このご家族はほんとうに単に食堂をやっている、普通の四人家族なんですね？　わけありでも、男の人に逃げられたわけでもなくって。」

私は言った。

「なによ、そう見えないっていうの、ピンキー！」

お姉さんがそう言って笑った。

「単に女が強いだけよねー！　南にはありがちよ！」

「そうそう、苦しくて働いてるわけじゃないのよ。移住してきてまだ十年たってないんだけれど、とにかくしたかったこととして、けっこう人気もあるから、自信持ってるの。だって、沖縄っていうとゴーヤーチャンプルーだとか沖縄そばだとか、ワンパターンなんだもん。でもね、海が近いし、気候もまあまあ似ているし、新鮮な素材があるから、ナポリあたりの料理はみんなけっこう再現できるのよ。だから、イタリアンだって充分やれるのよ。観光の人も大事だけれど、まず地元の人がおいしいものを食べてくれないとね！」

お母さんは言った。

「私は沖縄に移住してくる前にはずっと好きでここに通っていて、なにかしらこの土地に恩返ししたくてこの仕事始めたから、毎日がんばれるんだよね。まあ、おかげさまで繁盛《はんじょう》してて大変は大変だけどね。私は料理していたら、すべてを忘れられる。」

これほどすてきで輝いている人たちを見たのは久しぶりで、しかも仕事には手抜きがなく、料理はどれもほんとうにおいしかった。

「でもすぐ疲れて店しめちゃうんだよね。イタリアに行っちゃうんだよ。」

トラが言った。あとかたづけをてきぱきとやる彼は、さすがにきりっとして見えた。

「だって、充電しなくちゃね。」

お姉さんは言った。

「そうそう、ずっと続けてくには、いい仕事するには、そういうとこがないとだめ。なんでもきっちりやってたら息がつまって、おいしいものがつくれなくなっちゃう。」

お母さんは笑った。

私は「来てよかった」という気持ちを持って、そして「お姉ちゃんともいつかまた来よう」なんてのんきな気持ちで微笑《ほほえ》んで、そろそろ帰ろうかな、と腰をあげた。

「おじゃましました、とてもおいしくて楽しかったです、また来ます。トラもまたね！」

私は言った。

すると、トラが私にいきなり抱きついてきた。

「いやだ！　行かないでくれ！　ピンキーちゃん……どうしても離れたくないんだよ！」

「そう言われても……。」

私は困ってお姉さんを見た。お母さんは厨房に戻って最後のかたづけをしていた。

バイトの人はみんな帰ってしまった。

「じゃあ、トラに送ってもらえば？」

とお姉さんは言った。

「だって、彼はかなり飲んでますよ。」

「ああ、大丈夫大丈夫、そもそもその子、なんだかんだ言ってあんまり飲めないから。もうさめてるんじゃない？　いいのいいの、お母さんはあたしの車で送っていくから。」

お姉さんはもうどうでもいいという感じで手をふった。

「送ってく、送ってく、喜んで送ってくからちょっと待ってて。」

そう言って、トラは看板の重いのを運んだり、鍋《なべ》を乾かしたりしはじめた。

「あたしが腰をよくいためるから、重いものはちゃんとやってくれるんだよね。」

お母さんが自慢げに目を細めた。

「いいかげんなとこもあるけど、まじめな子だよ。」

みんなトラのことがかわいくてしかたなくて、ピンキーちゃんなんてどうなってもいいという感じだ。そして大人だからもう自分のことは自分でやりなっていう感じで、決して過保護とも言えず、ただそこには愛があった。

でも嫌いじゃないな……この感じ。東京では成立しにくいな、と私は思った。どうしてだろう、波とか星とか近くにないからなのか。空間がせまくてなにかとせちがらくなるからなのか。

　ワインで頭の芯《しん》がぼんやりとしていたけれど、私はすがすがしい気持ちだった。こういう酔い方もなかなか東京ではできない。ここではお酒が夜風の中にちゃんと発散されていく感じがした。でも、これこそが普通のことだわ、と私は思った。私、あんなことばっかり起きてたら、頭がおかしくなっちゃう、そう思った。

　でもただ力をもらいに移住してくるのもちょっと違うし、どうしたものかなあ……この家族みたいなゆるぎないものを自分の中につくればいいのかしら、でもこの家族も表参道あたりにこの店を出して毎日予約が取れないくらいに混んだら、簡単におかしくなっちゃうだろう、と私は思った。

　人間ってそんなにはがんばれないものだから……。

　そして、がんばるために生まれてきたわけじゃないから。

　髪の毛がいつのまにか潮の匂《にお》いになっていた。夜が濡れたみたいに湿っているのに、天はからっと高かった。いつまでもそのへんをうろうろしていた人々も少しずつ減りはじめていた。

「じゃ、車持ってきたから。」

トラが迎えに来て、私はお姉さんに手を振った。お母さんはトイレか着替えかタバコを吸いに行ったかで、見あたらなかった。

「ごあいさつしたかったのに。」

と私が言うと、トラは、

「また明日も来ればいいじゃん！」と言った。

それもそうか、と私は思い、そして少し安心した。私を襲おうとか部屋に上がりこもうとか、そういう下心があったら、そんなことは言えないだろう。

私はトラの運転する軽自動車に乗り込んだ。

彼は全然酔っていないようで、しかも運転はうまかった。細い腕で頼りなくハンドルを持っていたけれど、安定感があった。まあ、こんなに頼りなく見えるのにしっかりと運転してるなんて、と私まで姉や母のような気持ちになった。

流れるように国道を走っていき、道が暗くなったり明るくなったりを繰り返して、ホテルの近くまでやってきた。湾をふちどる光のつぶが星のようにまたたいていた。

「明日もお店にほんとうに行こうかな……。」

私は言った。今日食べたものはほんとうにおいしかったし、あの女性たちのかっこよさの秘密をもう少し知りたかった。接しているだけで気持ちが明るくなるような空気の粒が彼女たちのまわりを取り巻いていた。それはうそをつかない力と関係があって、気候や海のせいだけじゃないだろうと思った。

「うん、来て。」

トラは言った。

「トラ、やけに静かね。」

私は言った。

「うん、僕は、運転へただから、運転中はあまりしゃべらない。人を乗せてるときは特に。」

トラは言った。

「へたじゃないじゃない。」

私は言った。

「姉貴がおまえは運転へただからしゃべるな、って言うんだよ。」

トラは言った。

「そう言われると、そうだから気をつけなくちゃと思ってさ。」

「自分でそう決めたなら、大切なことね。」

私は言い、黙って景色を見ていた。全然いやな沈黙ではなく、むしろ好ましい沈黙だった。車はやがてカーブをたくさん曲がって、私の泊まっているホテルの明かりにたどりついた。暗い木々の世界に突然ホテルの建物が見えてきたとき、私はちょっと淋《さび》しく思った。この楽しかった夜が終わるんだな、と思った。遠くに岬が影になって見えている。夜の海は真っ黒でつやめいていた。まるで何もかもを吸いこむブラックホールのように、うねっていて激しい感じの黒だった。

トラのボロ車は、ホテルの玄関にすべりこんだ。

「ありがとう、送ってくれて。」

私は言った。

「どうしてもまだ別れたくない、絶対に変なことしないから、もう少しいっしょにいて。」

トラは真顔で言った。

「いやだ、そんな強引なことって。」

私は言った。

「ちがうの、ほんとうにちがうの。」

トラは首を振った。

「ほんとうにただいっしょにいたいの。別れたくないだけ。だってピンキーちゃんは沖縄に住んでいないから、もう二度と会えないかもしれないから。今、そんなこと考えられない。考えたくないんだ。」

私はばかみたいに、なんだか思うつぼにはまって、彼がいじらしくなって好きにさえなってきた。こういうどきを受けたことがないでもないが、彼はちょっと違って、なんだかほんとうにバカっぽくて犬っぽかったのだ。

「なにも違わないじゃない、でもいいよ、じゃあいっしょにお茶でも飲みましょう。」

「うん！」

トラは言った。

「車停めてくるから、絶対に待っていてよ。逃げないでよ。」

「逃げないよ。」

私は言って、ロビーの椅子《いす》に座った。昼間は二羽のオウムがいた場所にはもうなにもいなかった。オウムも寝てしまったのだろう。吹き抜けはがらんとしていて、夜勤のフロントの人たちだけが立ち働いていた。

私は恋愛沙汰《ざた》よりも、オウムと遊んでいるほうが好き……オウムはうそをつかないし、とても複雑な心を持っているけれど、言葉でだましたりしないから。

そんなふうに心の声が響いた。それが私の本音だった。

やっぱり逃げちゃおうかな、眠いし、面倒くさいし……と思ったけれど、そう思うと、胸が痛くなった。あの男の子はある意味では純粋と言えるかもしれないし、私みたいに気にいった人にはいつもああやって「正直アプローチ」でがんがん攻めていくのだろう。そのこと自体に罪はないけど、私はもういろいろな経験があるから、ああいうタイプに入れ込まれて、そして飽きられたときの空《むな》しさを思うと、ひいてしまう……。

それよりも私はホテルのロビーががらんとしているこの静けさに魅せられてしまった。まるで水槽の中みたいだった。結婚式で乗るためにあるらしい、クラシックなオープンカーがエントランスに飾ってあって、海底で眠っている深海魚のようななめらかなシルエットをしていた。夕方には生演奏がずっと続いていたピアノもカバーをかけられてもう音を出すことはなく、遠くにごうごうと風の音が聞こえて、とても静かな夢の一場面のようだった。窓の外のプールが青く照らし出され、遠くのレストランの照明はもう消えて看板の明かりだけが光っている。

ぼんやりとして方針が定まらないままでいるうちに、トラが走ってきた。細っこい犬みたいで、まっしぐらにやってきた。

「お待たせしました！」

トラは言った。その髪からは夜風と海の匂いがしていた。

「あのさあ、そう言ってても、部屋にあげたら、今度は帰りたくないっていうんだよね？」

私は言った。

「やっぱりばれたか。」

トラは言った。

「それで、何もしないって言っても、その場になったら絶対やっぱりがまんできないっていうんだよね？」

私は言った。

「ピンキーちゃん、初対面なのに、なんだってそんなに露骨なんだ？」

トラは言った。

「だって、はっきりさせておかないと。」

私は言った。

「だって、わかんないもん。僕はただいっしょにいたいだけなんだもん。」

トラは言った。

「じゃあ、はっきりさせておくね。部屋に来てもいいけど、今日は寝ないよ。絶対に泊まらないで。」

私は言った。こんなこと言ってもむだなんだけどさ、と思いながら。

「わかった。」

トラが言ったので、ふたりでエレベーターに乗った。

部屋からは海が見えたけれど、今はもうただ真っ暗だった。それでも海のあるところの黒は、ほかの色と違う感じがした。ひとりで見ないということだけでも、少し景色は違ってくる。新しく友達になった人と見る景色は、いつでも新しく見えた。

カーテンを開けたままで、少し窓をあけて、生ぬるい夜風を顔に感じながらふたりでビールを飲んだ。

「ビールくらい飲んでも運転できるから。」

とトラが言ったからだ。

そのときすでに、私はソファでトラにもたれかかっていた。彼の体は細くて私の重みでつぶれそうに思えたけれど、大丈夫だった。トラの胸は固かった。

「東京にいると、本能がだんだんだめになっていくんだなあ。」

私は言った。その固さの感触が好きでまだもたれていたいと、あれこれ考えずに思ったからだ。きっと東京だったら、あれこれ考えてしまうと思う。どんどん突き詰めて、どんどん細かくなって、いろいろ自分で決めて自分をしばったりしてしまう。こんなふうに、あるところからは考えが景色のほうへ、海のほうへ、空のほうへ広がっていく……それが人のほんとうのところなのだと思う。

全部自分で持ったままでいたら、重くなりすぎてしまう。

「僕も東京にたまにいくと、なんだかぼんやりとしてきて、頭の中が声でいっぱいになって、それが他人の考えなのか自分の考えなのかよくわからなくなることがあるな。

そうなるとすごく元気なくなって、言いたくないことも言ったりする。あといらいらして人を殴りそうになったりする。」

トラは言った。

トラの心臓の音が耳に響いていた。いつでもこの段階はすばらしいものだ、と私は思った。いつだって、こういうときは、誰もが天使のようにすばらしく、時間も夢のように美しく流れているのだ。

でも男女って、そのあとから、うまくないことがいっぱいやってくるんだよなあ……と私は思っていた。そのあとが必ず来るからなあ……。

「余計なこと考えなくていいから、ここがいいんだ。」

まるで私の考えをさえぎるようにトラは言った。

「おうちの仕事を手伝うのがあなたの仕事なの?」

私は言った。

「そうだなあ、みんなで力を合わせないと食えないからなあ。」

トラは言った。

「ほかにしたいことはないの?」

「ない。まあ煮詰まったりしんどいときもあるけど、たまに泳げれば、いい。あと店にたまにとんでもなくきれいな女の人が来るからそれでいい。」

トラの答えはばかばかしいほどに単純で、私もそういうふうに生きたいとさえ、思った。

「ピンキーちゃん、もうがまんできないけど、キスしてもいいですか?」

トラが聞いたので、

「だめです。」

と一応言ってみたけれど、長いキスをされた。思っていたよりもずっといい感じだった。あれ? 思っていたよりも全然いやじゃない。まだキスしていたい、と私は思った。

「ここまでにしようよ。」

それでも、私はそう言った。

「僕も、もうこれ以上のことがいっぺんに起こったら、頭が割れる……。」

トラはつぶやいた。そして、ほんとうに体を離してくれたので、私は内心びっくりした。

「そうだよ、もう今日はこれでごちそうさまだよ。」

私は笑った。

もう外は夜明けになろうとしていた。体は疲れて、目も開いていられない感じだった。長い一日だった。

「これ以上いたら、がまんできなくなるから、それに約束したから帰るね！」

トラは言った。彼は全然眠くなさそうだったけれど、そういうふうに律儀《りちぎ》だった。

「うん。」

私は言った。

「帰り、気をつけて。」

部屋の中は朝焼けでなんとなくすみれ色になっていて、カーテンの向こうから薄青の空が少しだけ透けていた。

「ピンキーちゃん、また会えるね。」

トラは笑った。

「ありがとう。」

もうこれきりかもしれないな、と思いながら私は笑った。

「今夜も会える？　店に来る？」

トラは言った。

「だって、少しでも長くいっしょにいたいから。触ってたいから。」

「好きになると困るから。遠いところの人を。」

私は笑いながら言った。トラも笑いながら、

「そんなに遠くないよ、今、ここにいるじゃん。気持ちの上で来ようと思えば、人は来るよ。来ないのは気持ちがもうないときだよ。簡単なことさ。」

と言った。

「うん、電話する。電話してくれてもいい。」

私は言った。

短パンから出ているちょっとO脚の長い脚も、サンダルのかかとも、昨日店で何回も目の前を行ったり来たりしていたのを見慣れていたけれど、今はもう触ったことがあるものに変わっていた。また距離のある場所へ離れていく。

そして、トラは部屋を出て行った。

私は立ち上がってカーテンをあけてみた。ものすごい勢いで朝がやってこようとし

ていた。東のほうから光がやってきて、西側の海までをずっと照らし出そうとしている。まだ生まれたての果てしなく透明な光だ。海の色までも透明に見える。

なんだか疲れたけれど、いい疲れ方だった。

これきりでいいのかもしれないな、いいときのままで、と私は考えた。

私もトラと同じだった。もうこわくて、これ以上いいときがあるなんて考えたくなかった。

寝不足のはずなのに妙に深くどかんと眠ることができて、朝、ぱっちりと目が覚めた。きっと恋のはじまりの力だろうと思った。

午前中浜を散策したり珊瑚《さんご》を拾ったりしてしっかりと海を見たから、ホテルはまた那覇《なは》市内の小さいホテルに移ることにした。

荷物をあずけて公設市場に塩や調味料を買いに行った。ヒバーチというコショウみたいなものやチャンプルーの素《もと》、ゴーヤー茶、うっちん茶……おみやげも含めて夢中でたくさん買った。

棚の向こうにきれいな人がいるな、と思ったら、トラのお姉さんだった。そう思ったときにはもう目が合っていたので、あいさつをした。お姉さんはお店にいるときとは違って全体がゆるい感じで、服もちょっとゆったりしていて、髪もおろし、なんだか印象がふわりとしていた。

そうか、ほんとうはこういう感じの大らかでゆったりとした女性なんだな、と私は思った。店に出ているときだけはプロ意識でちゃきちゃきしているんだ。

「あ〜、ピンキーちゃんだ〜！」

お姉さんはにこにこ笑った。素顔の目のはじにしわがきれいに刻まれていて、笑顔の形に深くなった。

いいな、この人に会えると嬉《うれ》しいな、この顔を見ると嬉しいな、そういう気持ちのする顔だった。

お姉さんは私とトラのことなんかどうでもいい感じだった。

「わしたショップって観光客のための店かと思ってた。」

私は言った。

「そんなことないよ、ＣＤとか買いに来ちゃうもの。まあ、私も長い観光客のようなものだからさ。」

お姉さんは笑った。

「ピンキーちゃんは、ほんとうはなんていう名前なの？」

「桃子です。」

「じゃあそんなに遠くないね、あだ名と。」

「あだ名っていうか、あれは役名なんですよ。お姉さんはなんていうお名前なんですか？」

「私はみちる。だから店の名前は『青い鳥』なの。わかる？」

お姉さんは笑って言った。

「ピンキーちゃん、今日も店に来る？」

私はほんとうはそのとき、まだ迷っていた。あの男の子とこれ以上親しくなるべきか、やめたほうがいいのか。でも、ここでみちるさんに会ってしまったことで、もうすっかり力が抜けた。もういいや、進んでいこう、みんないい人そうだし……そういう気持ちがどんどんわいてきて、私は言った。

「うん、おうかがいします。」

「じゃあ、魚のいいところとっておくね。」

みちるさんは言った。

「もう市場に行ってきたからさ、今から買い物して夕方六時すぎからやってるからね。」

「はい。」

「トラと寝た?」

みちるさんは言った。

「まだです。」

私は答えた。

「そうなんだ〜。」

みちるさんは気の抜けた答えをかえしてきた。

「送ってもらっただけですよ。」

私は言った。

「トラは、本気なんだよ。いつだって、本気なの。で、ああ見えてもいつも、けっこうふられるからね。しょっちゅうふられて落ち込んでるよ。」

まるで「パパイヤがそこになってるよ」というような、さりげない言い方だった。

「そうなんですか？」

「うん、バカだから。見た目もバカだけど、なんかほんとうにそのまんまなんだよね。好きだと思うとただそのまま行っちゃうんだよ。友達も年上含めてみんなバカで、ふられたと言っては飲み、好きになったと言っては飲み、深読みしようがないよね。ほんとうに男ってみんなバカだけど、見てるとおかしくて飽きないよ。じゃ、あとでね！」

そう言って、みちるさんは笑って手を振ってレジに行った。

色が黒くてタンクトップで、足ははだしで……町といっしょの時間の中にあきらめたように、流れるようにいて……いいたたずまいだな、と思いながら、私はみちるさんの後ろ姿を見送った。

この町に流れる時間、それはトラの気持ちが私の体に刻んだ時間でもあった。彼の体の中に流れているなめらかな時間……徹夜とか寝不足とか全然気にならない、ゆったりと流れていって、ここでへこんだぶんはここで取り返せる、そういう流れ方の時間だった。うんと暑いときは外に出なくて、夕方になるともぞもぞと外へ出て行く、そういう、自分本位ではない時間の過ごし方だった。

でも、それは私のものではなくって……そう思ったら、午後のぎらぎらした光の中でちょっと涙が出そうになった。うらやましいし、自分がふがいなく思えた。私は、せっかく彼の大切にしてきたピンキーちゃんなのに、全然それに見合わない冴《さ》えない気持ちでふらふらとここにやってきただけだった。お母さんの炒《いた》め物のことだって、ずいぶん長いあいだ忘れていた。ただ生きてるだけでロボットと何も違わないようすになっていたみたいだ。生きてるって言えないくらい、感情が薄くなっていて、どうしてもほしいだとか、泣くほどくやしいだとかいうこともなくなっていたみたい。

今は、私はもう一回、どうしてもトラに会いたくなった。どうしてもどうしてもだ。

国際通りを歩いていろいろ物色していたら、みるみる空が曇って雨が降ってきた。私はあわてて喫茶店にかけこんで、濡《ぬ》れた髪のままでコーヒーを飲んだ。久しぶりの夕立、そして雨宿りだった。

待っているあいだに姉に電話をかけたら、楽しそうな答えが返ってきた。

「もうぜんと仕事を終わらせてるの。あさって行けると思うよ。」

「お姉ちゃん、私、こっちでボーイフレンドができたみたい。」

私は言った。

窓の下には、この町のきっといつものお昼どきの眺め……私がひとり増えても減っても何も変わらない風景だった。

「あら、じゃあ早く行かないほうがいいか？」

姉は言った。

「ううん、来て来て。一回西表《いりおもて》で頭を冷やして、そのあと考えようと思って。」

私は言った。

「そうそう、そうしようよ。私はとにかくあさって行くから、那覇で待ち合わせてもいいよ。私、その彼氏には会えるの？」

「多分会えるけど……西表にはいっしょに行かないよ。」

姉は全然ショックを受けていなくて、気をつかっていた私が拍子抜けした。

私は言った。

「そうだよ、いやだ、あてられて疲れちゃう。西表はぜひとも姉妹水入らずで行こうよ。でさ、彼氏を見た感想を言うよ。楽しみだ。でもさ、なんだったらそのあともそっちにしばらくいなよ、お金まだあるでしょ？　必要なものならなんでも持っていってあげるよ。」

姉は言った。

「うん。」

私はうなずいた。

「でも、こんなことでいいのかなあ。単にふりこがストレスで逆側にふれただけという気がするの……だって、その人、あの人と全く正反対のタイプの人なんだよ。」

私がそう言うと、姉は笑った。そして言った。

「あのさあ、あんたはいつでも、まじめすぎるし、深く考えすぎなんだよ。いいじゃない、逆にふれても。またその逆、その逆ってあと五回くらいくりかえしたら、その頃にはあんたの寿命もつきるって。それでいいんだって。私もそうするから、好きにしなよ。そりゃあ、そういう浮いた話ってうらやましいけどさ！　でもあんた最近大変だったから、いいことがあったほうがいいよ。あんたも今、なににも縛られていない、人生でも珍しいすばらしい時期なんだよ。仕事もないし、男もいないし、私も介護は必要ないし……なんで帰ってこようとしてるのかさえ、わかんないわ。私なら、きっともうすぐさま移住しちゃうよ。」

私はそれを聞いて、それもそうだ、どうして私は先を急いでいるのだろう？　と不思議に思った。そんなくせをどこでもらってきたのだろう？

「あ、もちろん今、あんたがうちにいるのがじゃまってことじゃあ、全然ないからね！」

姉はあわててそう言いたした。

「わかってるよ。」

と私は言った。その言い訳のところが胸にとてもしみた。居場所がないわけではないんだ、と実感できたからだ。

待ち合わせの時間を決めて、電話を切った。

これで、あさってからは二泊で西表だ。そのあとはどうするんだろうな……と思いながら、私は外を見ていた。

雨宿りってどうしてこんなに自由な感じがするんだろう。予想がつかない天気にしばられてるはずなのに、全然いらいらしないで、神様にもらった時間という気がする。

そう思いながら、傘の花がひらきはじめた通りを二階から眺めていた。

すると携帯電話が鳴った。トラからだった。

「今夜会えない？」

と彼は言った。

「会えるよ。今ももう暇だよ。国際通りにいるの。」

私は言った。

「そこまで行くよ。」

「じゃあ、もうここは出るから、三越のそばのスターバックスの前にいるよ。」

私は言った。

「三十分で行くよ。」

トラは言った。

電話を切ってから、ふと、思った。

これから恋人みたいなものに会いに行くんだ。

そう思ったら、ものすごく嬉しくなった。あとさきなんてどうでもよくて、この気持ちが大切だと思うくらい、わくわくとしてきた。今日はなにをしゃべるだろう、トラはどんな意外なところを見せてくれるんだろう、ふたりは寝るのだろうか？　それともけんか別れ？　とにかくお互いがお互いのことを考えているのがわかっているから、世界の中に今は居場所がしっかりといくつもあった。

まず姉のところ、そして、ここでは、あのお店とトラ……もう充分なくらいに、地に足がついて呼吸がしっかりとできる感じがした。

花がふわっと開くような感じだった。そうだった、恋には肉欲以外にもいろんな淡い気持ちがあるんだった、と久しぶりに私は思い出した。いつまでも会わずに、眠くてぼんやりとした頭のままで、ここでいろいろ思っていたい、こんなにささやかな甘い気持ちも。

待ち合わせしたにぎやかな国際通りの往来の中に、トラは少し寝不足の様子でやってきた。

天気はすっかりよくなってきて、空が明るくなっていた。

「来た！」

トラはそう言って走ってきて、目の前で恥ずかしそうにもじもじした。

「姉貴が店に夜九時ごろには戻ってこいっていうから、ふたりで出かけよう。一刻も早く。」

トラは言った。なんてバカ正直なんだろう、と私は笑った。そういう自分の笑顔も単純に輝いているような気がした。トラの肉体の感触を、その声の響きがそばに来るのを待っていた。この旅行ではもう私はトラを待つしかないのだ。

そして私とトラはドライブして、丘の上のピザ屋さんに行った。

車の中でちょっと寝たら、私の頭はすっきりとしていた。

目が覚めたとき、車はちょうど店の駐車場に入るところだった。あれ？ ここはどこだっけ？ と思ったら、空気は草の匂《にお》いがして甘く、車を停めるためにハンドルを切っているトラの横顔がとなりにあった。

「着いたよ。」

トラは言った。

「ごめん、ぐっすり寝ちゃった。」

私は言った。

「あやまることないよ！」

トラは笑った。

「うちの女たちは僕が運転する車に乗ると、二十秒くらいであつかましくぐうぐういびきをかきだすよ。」

お昼時をとうに過ぎているのに屋内の席はとても混んでいたので、私たちは縁側の席に座った。古い民家を移築して作られたらしいその広い平屋の家は風が吹きぬけて気持ちよく、たたみの上に机があって、お客さんはみな思い思いにくつろいでいた。

「ここのピザはアメリカ風だからか、基地のアメリカ人がいっぱい来るよ。」

トラは言った。

見回すと庭のテーブルにはアメリカ人の家族連れがいっぱいいて、ビールを飲みながらでっかいピザを食べていた。そしてその向こうには静かな海や岬や小さい島々がうっすらと明るくなってきた雲間からの淡い光に照らされていた。

私たちもピザを一枚とって、冷たいお茶を飲んだ。

「このお店も若い人たちがやってるんだね。トラの家みたい。」

私は言った。

かわいい感じの若い女の人たちが、てきぱきと働いていた。

「最近多いよ、若い人たちの店。それはすごくいいことだと思う。仲間も増えるし。

でも、なかなか大変だよな。観光地の食い物屋っていうのも。うちのこともたまにいいことばっかりと勘違いする人いるんだよ、肝っ玉母さん、姉御はただの姉さん、そしてへなちょこでヒモっぽい僕、って感じで、和気あいあいと商売にはげむほこり高い沖縄の仲良し家族っていう。でもそんな家あるわけないじゃない。」

ははは、とトラは笑った。

「僕たちなんて、世界中どこにでもいる、お店をやってなんとか食ってる家族だもん。ただ土地にはりついて、仕事にはりついて、生きてるだけだ。飽き飽きした家族とののしりあいながら、こきつかわれてさ。でも、やっぱりそれでもここはすごいところなんだ。ここにはなにかすごくいいものがある。つかんだら消えてしまうたぐいのいいもの。」

トラは言った。

「海とか、空とか、その日のお天気の中に、すっごいものがたまに混じってるんだ。それ、何回見ても、また見たい、もう一回見るまで生きてようって、思うんだ。それにあの店を借りたときに世話を頼まれた神様のがじゅまるなんかがあって責任重大なんだ。もしもお金のためにそういうつながりを手放したら、大変なことをしたことになってしまうから、なかなかここを出られない。命とか神様の責任がいちばん重いよ。」

「トラにはここが似合っているから。」

私は言った。

「そうだなあ、ほかの土地に住んだこともあるけど、ここだと自分の体と考えとやってることが、ばらばらになりにくい感じがする。」

「それって、そういう考えって、意識してそういうふうに昔から思ってきたことなの?」

「うちの死んだほうのおやじが……そもそもはのんびりやだったおやじが、仕事が忙しくなりすぎて、そのあと病気になって死んだときに心から思ったんだけれど、人は、その三つ……って、体と考えとやってることがいちいちばらばらになると、きっと簡単に病気になっちゃうんだ。おやじが死んでいくのを、びっくりしたままでただ見ていた僕たち残りの家族はそれが身にしみてわかったから、いっぱい話し合ったんだ。おやじは、お金がたまったら、いつかあったかいところでお店をやりたいなあ、っていつも言っていたんだよ。でも死んだらできないじゃない。それで、俺たちも、いつかだとか、お金がないだとか、沖縄は遠いだとか言うのやめて、もう低予算でさっさと屋台でもやろうって言って、みんなでとにかく行動したんだよ。だって、おやじが身をもって教えてくれたのに、同じようになっちゃ絶対だめでしょ。それで、うちの家族ってふだんはけんかばっかりしてるけど、そこだけは心をひとつにして、お金だとか後先だとかを気にしないで、とにかくここに来たんだ。そしてはじめは空き家の軒先を持ち主さんから借りてやっていた屋台だったけど、家全体の敷地まで借りられるようになって、改装してもいいって言われて、あんなふうに店を広げたっていうわけさ。」

トラは静かにそう言った。

私は妙に納得して、うなずいた。このところ私が思っていたことと芯《しん》のところでとても似ていたから、すごくよくわかった。

「すごくいいお店になってよかったね。」

私は言った。

「場所の力もいっぱいあるよ。あのがじゅまるの木を見あげてると、絶対に店はうまくいくっていう気がしたもんだ。それに、おふくろの料理はやっぱりうまいからなあ。

特に外で食うとうまいんだ。夏の空の下で食べると最高だ。」

トラは言った。

いいなあ、沖縄はやっぱりいいなあ、私は思った。沖縄がトラたちに与えた力の大きさにしみじみと感謝した。それは大きく広がり、あの店に来る人たちにも伝わっていく。

でもそれはもしかしたらトラの近くにいるからもっとよくそう感じられるのかもしれない。だって、パイナップルパークに大きなバスで行っておみやげをばんばん買って、水族館に行って、ひめゆりの塔と首里城を見て、一泊で帰ることだってできるんだもの。そういうことがしたい人たちはそういう人たちの楽しみだから、全《すべ》てはみんな私しだいなんだ、だからこれはこの世にたったひとつの、私だけの思い出なんだ

……そう思ったら突然私はすっきりと、自分を許すことができていた。

私の人生は今までもこれからも最高で、両手にいっぱいの果物を持ってるみたいな人生だと単純に思えてきた。

母から、姉から、夫から、トラの家族から、トラから……昔住んでいた家から、姉の家から、東京から、沖縄から……これまで行った全ての場所から……そういうふう

に数え切れないくらいいっぱいにもらった。それを私は沖縄ほどにはできなくても、やっぱり自分なりに、人にも手渡していきたかった。しかも、もらったときと同じくらいに惜しみなくだ。

「お母さんを連れてきてあげたかったなあ。」

私は言った。するとトラは本気の顔で、

「ピンキーちゃんが来て、嬉《うれ》しく思ってれば、連れてきたといっしょなんだよ。これからはずっとそうなんだよ。すごいよな。どこへ行っても、ピンキーちゃんが嬉しかったら、お母さんも嬉しいんだよな～。そう思うと死ぬのもこわくないよな。」

と言った。どうして毎回そんなにいちいちいいこと言うんだろう、と思いながら、母の笑顔が浮かんできて、私は少し涙ぐんだ。

「ねえ、トラ。」

「なに、ピンキー。」

「あさって、私がここにいなくなっても、ここの海を見おろす、きれいにかすんだ景色は同じふうに見えるんだろうね。」

「そりゃそうだね。」

「でも今日は一回しかないんだね。」

「あたりまえだ。」

トラは言った。

「でもそうなった日の今頃、僕は淋《さび》しいよ、すごく淋しいだろう。」

「私はあさってから、姉と西表《いりおもて》に行くの。」

「そうか。今日と明日しかないのか。」

トラは言った。悲しそうな顔だった。

「じゃあ、よかったら、僕がピンキーちゃんの姉さんにもなにかうまいもの食わしてやろう、時間あるようだったら。車で港まで送るよ。」

「会ってくれるの？」

「ピンキーちゃんの姉さんならいくらでも会うよ。美人ならますます会うよ。」

トラは笑った。そして言った。

「そのあと、東京に帰っちゃうの？　すぐに？」

「だとしたら、どうする？」

「どうもしない、でも、また会いたい。」

「ねえ、もしも、もしもよ。そのあと、お姉ちゃんだけ東京に帰って、私がまだ少しとどまったら、また会えるかなあ。トラはまだ私に会いたいと思ってくれるかなあ。」

もしかしたらうっとうしいと思われるかもしれない、と思いながら、私は思いきってそうたずねた。ほんとうは心臓がどきどきしていた。でも、

「会えるよ、会えたらいつでも僕は嬉しいよ。大歓迎だよ。」

トラはなんでそんなことを聞くのか？　という調子でそう言った。

ピザ屋の帰りに時間ぎりぎりで入園できたから、水族館に行った。

いつまで見ていても飽きない、光の中の熱帯魚たち。

そしてただジンベエザメが行ったり来たりしてるだけなのに、私は口をぽかんとあけて、いつまでもそれを見ていた。優雅なその姿はまるで空をゆく飛行船みたいだった。まわりでひらひらしているコバンザメはまるでかもめのようだった。こんな大きな生き物がいるなんて……普段、そういうことを全く忘れてこの世に生きていられるなんて。

私は海の底にいるような気持ちで上を見上げた。そのあいだはもうトラも自分もい

なくて、ずうっとジンベエザメとひとつになっているのだった。

外では曇り空の下、淡い影を作って海亀《うみがめ》がゆうゆうと泳いでいた。そして海亀の向こうには、ほんとうの海がきらきらしていた。私は言った。

「これまで見た水族館の中でいちばん好き。だって、外に出てもちゃんときれいな海があるもん。」

「そうでしょ、あの、水族館特有のさ、外に出ると夢から覚めてがっかりする感じがなくっていいでしょ。」

トラは笑った。

私たちはすごく気が合うのかも、もしかしたらたんなる行きずりで終わらないかも……会話をするごとにそういう気持ちが嬉しく湧《わ》いてきた。トラの言っていることで、乱暴だとか、つごうがいいとか思うことはいくつもあっても、心が添っていかない言葉は一つもない。

那覇《なは》に向かって車を走らせていたら、また雨がぽつぽつと空から落ちてきた。でもあっちのほうは晴れているから、たいしたことにはならない、と空を指してトラは言った。店へと戻る帰り道だった。

週末はナイトマーケットになる色とりどりの街並みのたたんだ屋台のあたりが、色がきれいなぶんだけ濡《ぬ》れて少しうらぶれて見える。ところどころ開いているお店の明かりが妙にまぶしく映った。

急がなくちゃ、となんとなく私は思った。この気持ちをどういうふうにするにしても、はやくつなぎとめて形にしなくちゃ、時間が逃げていっちゃう……でもその逃げ方はまるでちょこまかと歩いていく小鳥みたいに、たいした速さじゃないんだけれど……それでも。針と糸でちゃんとこの時間を縫いつけておかなくちゃ……。

私はそんなふうに感じていた。

しかしトラははっきりとしていて、

「だめだ、まず一発やらないと、なにもできない。なにも考えられない、運転もできない、ごはんも食べられない。今すぐにピンキーちゃんのホテルに行ってもいいかなあ。」

とハンドルを握りながら言った。

「あなたのほうがよっぽど露骨じゃない。」

私はそう言ったけれど、どうもほんとうに恋愛のはじまりになってしまったみたいで、私の気持ちも言い方は違っても全く同じだったから、びっくりした。

それに、言葉をしゃべるほど、今、確かにここにあるものが、遠くなってしまう気がした。

「いいの、いやなの？」

トラは言った。私の手をぎゅっと握って。

「いやじゃないみたい。」

私は言った。

そして、私たちは海も見えないロマンチックでもなんでもないホテルの私の部屋で、あわてて抱き合った。トラはまるで魚のようになめらかに私の体に身をよせてきて、あっというまにふたりはベッドにいた。

「私、汗臭いよ。」

私は言った。

「本体がすきなんだから、本体があれば、ほかのことはいいの。」

トラは言った。

「でも、避妊しないと。」

私は言った。そこは絶対にゆずれない一線だ。でも彼はそれを聞くとすぐに、

「大丈夫、まだ、子供をつくっていいほど好きかどうか僕もわからないから、さっき車置いてくるときダッシュでコンドーム買ってきた。」

と長いまつげをふせもせずに言った。なんだかなあ、と私は思った。でも、もうどうでもいいやという気がして、それにそのしっかりしている考え方がなんだか好きになって、信頼していい人というふうに思えたので、いいことにした。体もいやがってないし、いいや、と思えたのだ。

それで、はじめてのふたりがするように、ある意味では永遠の異性として、私たちは寝た。いつもそう思うのだ。ほんとうは親しくなればなるほどにどんどん自分たちらしくなるはずなのに、どうしていちばんはじめのときのほうに、よっぽどお互いの全《すべ》てが出てしまうのだろう。

そんなことを考えた。

トラはものすごく細いから、なんだか女と寝ているような感じだった。

七時を過ぎてもまだ空は明るかった。

「ピンキーちゃんとやったら、どうしてだか、なんだかすごくどうしようもなく落ち込んできた。」

と薄暗い部屋の中でトラは言った。

外の明かりが窓に映っていて、まるで水族館の水槽の中にいるみたいだった。

「そんな身勝手なこと言わないで。」

私は言った。

「だって、僕にとってピンキーちゃんと寝ることは、小さい頃からの本気の夢だったんだ。それが終わってしまって、どういうふうにしていっていいのか、ほんとうにわからない。」

電気をつけようとすると、つけないで、とトラが言った。よく見るとトラはめそめそと泣いていた。

「泣くようなことじゃないよ。」

と私は言った。

「だって、知らなかったことを知るのって、その場では痛いけれど、絶対にいいことだと思うもん。」

「ピンキーちゃんはポジティブだなあ。」

トラは鼻声で言った。

「だって、自分と寝たことで誰かに泣かれたら、冷静になっちゃうわよ。」

「ああ、そういう意味じゃなくて、嬉しいんだよ。」

トラは言った。

「うまく言えないけど、時間がもったいないような感じが止まらないんだよ。たまにこういうことがあるよ。どうしようもなくなって、自分が止まってしまうんだ。特に夕方ってすごく淋しい感じがするときがあるから。それにピンキーちゃんがあんまり優しくて、花みたいだからだ。雨に濡れてるアカバナみたいに優しくてやわらかい、こんな女の人に会ったことない。」

「またそんな、その場で思ったことを言って。」

私は笑った。私のほうはなんだかとても楽しい気持ちだった。なにか重いものから解放されたみたいだった。それは久々にセックスをしてすっきりしたというだけではなくて、ちょうどいいときにするべきことをしたからだった。普通、ちょっとずつ時間がずれるんだけれど、この場合はなにもずれなくて、天が求めた時間に求められたことをしたという独特の安心感と充実感があったのだった。

「その場で思ったことをその場で言わなくて、いつ言うの?」

トラは言った。

それもそうかもしれない……と私は思った。

まだふたりのエネルギーがひとつになってきれいな輪を作っていたので、私はとても前向きな気持ちで、そうかもしれない、私はもしかしてとっても気が優しくて、霧雨に濡れて水滴をつけているハイビスカスのようなのかもしれない、とほんとうに思えてきた。

トラが黙って窓の外が暮れていくのを見ていたので、私も黙ってビールを飲んだ。すきっ腹にその冷たい金色の液体はよくしみていって、体が浄化されていくようだった。

夜が来るときの力は、どこにいても、どんなお天気でも必ず感じられる。地球にいる証拠だと思う。昼間の世界は最後の楽しさと美しさを総動員して、去っていきながら町中を祝福する。いろいろなどろどろや鬱屈《うっくつ》したものを運び去って、夜の中へと持っていってしまう。

「ああ、やっと大丈夫になって、腹も減ってきた。ピンキーちゃんの魔力にやられてたみたいだ。」

はだかのトラは顔を上げてそう言った。彼にははだかがよく似合った。別にすごく立派な体をしてるわけでもないのに、服を着ていたときよりも、ずっと普通の感じに見えた。みたところ、顔もすっきりしていてきれいな目をしていた。

「調子がいいんだから。」

とやはりはだか同然の私は答えた。

「トラの店に、何か食べに行こうか！」

私は言った。

「うん、店に行ったら、なんでも食べさせてやる。」

トラは言った。

よくもまあ、こんなことのすぐあとに店に行って家族に会えるなあ、と思ったけれど、よく考えたらそう思う私のほうが変なのかもしれない、とトラといると思えてきた。この世のどんな夫婦だって、セックスしたあとで仕事に出かけたりしているんだなあ……不思議なことだけれど、そういうものなんだな……私は思った。

私はたった一日前に、あの店に迷い込んで、はじめにあのがじゅまると、人々の顔を照らす光と、わきでてくるような活気や、厨房《ちゅうぼう》の火が踊るのを見た瞬間に……オアシスのあるところに迷い込んだのかと思った。

あの店はそういう豊かなところだった。

くんでもつきることはない透明な勢いのあるものが、どんどん流れている感じだった。それぞれが勝手に生きているのに、全部でひとつの命になっている。

あのがじゅまるの下で、そんなことが展開していた。

トラとつきあえば、どういう形であれ、もれなくお母さんとお姉さんがついてくる。いくらさっぱりしている人たちとはいえ、彼女たちがトラを思う気持ちはそうとうなものだし、物理的にも彼はすごく必要とされていて、女たちとの三角形の中にがっちりと捕らえられている。やりにくいことには変わりないし、なんとなく重い。あの女の人たちは「トラの彼女のピンキーちゃん」といううちはかわいがってくれるだろうけれど、もしも私がトラをとことん愛せずにほんとうに傷つけることをしたら、ものすごく私のことを恨むだろう。あの笑顔を知っているから、それはどんなにかきつく、こたえることだろうか。

でもこの島の太陽の下では、あのオアシスの中では、あまり気にならなかった。深く考えたら誰もがぐっと煮詰まってくるものが、案外尾をひかないでぱっと発散されてしまうような気がした。

もちろん東京ではもうこの設定自体がありえないだろう。それに、こういう場所でほんとうに煮詰まったなら、それはより深刻なのだと私にはわかっていた。楽園は力を貸してくれるけれど、人は人、全《すべ》ての感情は、どんな場所でも軽くなるわけではない。

それでも今、私がずっと探していた「この感じ！」という感じを持っているのは、多分沖縄でもあのお店でもなく、トラだった。トラが根底にあって、それらがすべてつながって私の中ですばらしい化学反応を起こすのだった。それらの全てを象徴しているのがトラだったのだ。

私たちには時間がないから、過ぎていく時間の一滴ずつがよく光って、息が苦しいほどだった。切ないけれどでも夕方の金色の光がやがてすっかり消えて夜になるように、自分の中の時間もよどまずにひとつも立ち止まらずに過ぎていく、そういう時間の流れ方を私は目をそらさずに見たかった。

トラはなんの変哲もない、単にここに住んでいるだけの、気のいいちょっとまぬけな男の子にすぎなかった。でも、どうしてだろう? トラを好きになればなるほど、私は沖縄のことも好きになっていく。トラが沖縄になり、沖縄がトラと重なっていく。そしてその気持ちが海とか空とか花とか砂の中にどんどん溶けて、果てしなく広がっていく。だから苦しくてもそれはトラに期待する苦しさじゃなかった。

好きな場所で好きなことが起きている切なさだった。

そして、結婚したことも、失敗したことも、お母さんが死んでも悲しくなかったことも、みんな間違ってないんだ、私はこのままでいいんだ、だってそんなことはどうでもいいことなんだもの……そういうふうに、どんどん心の中がほどけていった。自分だけではどうやっても見えない細かいちりみたいなものが、風にさらされて自然にどんどん消えていったという感じだった。

「濡れたアスファルトが光って優しい感じだね。降ったりやんだりするから、国際通りのみやげ物屋さんもきっと雨宿りの人がいっぱいだろうね。」

私は言った。

優しい雨……ぼたぼたと落ちてきて、またやんで、曇り空になる。

まるで花をただ濡らしてあげたいだけみたいな、さとうきびをおなかいっぱいにしてあげたいだけみたいな、柔らかな雨だった。

のんびりと行こう……旅はまだ長い。明日朝にトラに会えて嬉しかったら、会おう。そうでもなくなりそうだったら、自然に離れていこう。

案外そうやって続いていったら、いちばんすてきなことかもしれないなあ……。

髪の毛がぼさぼさになったままで、シミーズの肩ひもも落ちたままで、私はぼんやりと雨を見ていた。雨のときは雨のときのことをして、晴れたら晴れたときの過ごし方をしよう……。

もういいんだ、つらいところはもう終わった……私はそう確信した。

力を抜いて、きれいな水の中を流れて、流れて、ついたところがいちいち自分の場所だ。

これからは、そういう人生にしよう。

「夜、店が始まるときのうちの店は最高なんだ。どんなにおふくろや姉貴とけんかしてうんざりしていても、あの瞬間だけは飽きないよ。今日は遅刻したけど。」

トラは駐車場に車を止めながら、そう言った。

「僕、そうじなんて大嫌いだけど、この店のそうじは好き。全部きれいにして、夕方電気をつけて音楽をかけるときって、毎日彫刻家が彫刻を作り終わったときの気持ちと全く同じだと思う。」

見上げると今夜もがじゅまるの葉は小さくぷりぷりと茂り、根はからみついてたれさがり、大らかな姿で空を覆《おお》っていた。もう雨はすっかりあがり道はほとんど乾いていたが、もわっと熱い空気は水分を含んでしっとりとしていた。電飾が店じゅうをクリスマスみたいにとりまいていて、もうスーツ姿の人や、観光の女の子たちがオリオンの生ビールを飲んでいた。みんなの顔もやっぱり少し青いような夕方から夜への空の色に染まっていて、その活気はもう天まで届きそうだった。

「うちの店はこの路地の宝石だよ！」

トラは言った。

「ほんとうはいつだって外から見ていたいけど、中に入って手伝わなくちゃ。ピンキーちゃんはじっくり飲んでいて。」

「うん、終わるのを待ってる。」

「そうして。」

店に入るとみちるさんが私に合図して、はじっこのかわいい席を用意してくれた。テーブルの上には小さいガラス瓶があって、そのへんの草みたいなのがちょっと活《い》けてあった。

私はメニューを見ながら、ずっとこういうふうにトラを待っていられたらいいなあ、と思った。ずっといるんだったら店の手伝いくらいは当然するけど、そういうことではなくて。

こんなふうにいいものを見ながら待っていてもいいんだなあ、そう思ったのだ。

そうか、昔、子供のころ、お父さんがまだいたころ、家族旅行で沖縄に来たことを私は思い出していた。トラを待ちながら赤ワインを飲んでいたら、ふっとその赤であの気持ちがよみがえってきたのだ。私は毎晩、なにか赤くてかわいいものの夢を見た。

「それはきじむなーだよ。がじゅまるにいるんだってよ、精霊が。」

とあの頃からものしりだった姉が教えてくれたことも思い出してきた。

きじむなーが私をあの店に呼んでくれたのかな……。

と私は思った。

自分で自分にかけた黒魔術はなかなかとけることはない。私はいつのまにか自分にいろいろなことを禁じていた。うしろめたさみたいなものがそうさせていた。

そして私はいつのまにか、きじむなーのことさえも忘れていた。私にとって、がじゅまるはいつのまにかただの大事ながじゅまるに過ぎなくなっていた。

子供から大人になってよかったことはそれでもいっぱいあった。自分の行きたいところに自分の責任で動けるようになった。それと、愛する人の思い出が増えていくと……私は別れた夫のことさえ、今も大好きで会いたいと思うくらいだった。彼と新しい奥さんの赤ちゃんも抱いてみたいくらいだった。思い出がたくさん増えていって、抱えきれないくらいになって、死んでいきたい。それは重くなればなるほど、体が軽くなるような不思議な持ち物だろうと思う。

でも、私はこのところ、集めてきたたくさんの宝物に対するそういう新鮮な喜びをすっかり忘れていたみたいだった。まるで穴のあいたやかんから水がもれるように、私は自分で自分の首をしめてエネルギーをもらしていたみたいだ。大事なことをみんな忘れて、何回も絵に描いたきじむなーのこともふりむかずに。

そんなおばかさんな私に、幼い頃出会ったきじむなーがいたずらして、ゆさぶりをかけてくれたのかもしれない。

トラがウェイターとして通るたびに、私の胸はきゅうとなった。あの腕、あの目をもう一度近くに感じたい。欲望というよりも、もっと果てしなく抽象的な感情なので自分でも驚いた。彼の目の奥の奥にあるもの、手の中にある骨だとか血が、私を呼んでいるのがわかる。

人を好きになるって、こんなにもごまかしがきかないことなんだ、もう忘れていた、こんなことを。お互いがあからさまにお互いを求め合って、たとえ離れていてもお互いがいることを忘れないということなんだ。

体が近くにあるだけでも、ただ嬉《うれ》しいということなんだ。

「姉ちゃん、僕の考え出したあのレシピでピンキーちゃんと僕に大盛りでパスタ作ってよ！」

お客さんが少なくなってきて私の席に座ったトラは、笑顔で言った。

「あれ、おいしいけど店で出すには微妙だよ？　見た目が悪いし。」

　みちるさんは言った。

「まかないっぽくはじっこで食べるからさ。」

「まだもずく冷凍してあったかな？　わかったよ、作ってやるよ。」

　みちるさんは笑った。

「僕がとってきたもずくなんだよ。」

　トラは言った。

「もずくって自分でとれるの？」

「うん、海水の味で食べると、酢で食べるよりもずっと甘くておいしいんだ。」

「どんなレシピを考えたの？」

「昆布イリチイっていうのがあるくらいだから、もずくでもいけるだろう、と思ったの。それでとってきたもずくがいっぱいあるときにだめもとで作ってみたんだよね。」

「トラって、料理できるの？」

「姉貴やおふくろほどじゃないけどね。」

「で？」

「よく洗ったもずくとにんにくと、薄切りのゴーヤーを高温の油でがーっと炒《いた》めて、パスタにあえるだけ。」

「ちっともおいしそうに聞こえないけど。」

「まあ、食べてみなよ！」

彼は笑って、オリオンの生ビールを飲んだ。

私たちはよっぱらっているみたいで、ふたりでいてもひとつの体みたいな感じがした。どこか体の外、遠い星のところで、つながっているのがわかる感じだった。

久しぶりに味わう恋愛のよさだった。

「ほら、見た目が汚い。」

そう言いながら、みちるさんが大皿を持ってやってきた。そこにはなんだか黒くてぬるっとしたものがいっぱいからんだパスタがのっていた。トラがさらにそこにパルミジャーノをかけはじめたので、私はびっくりして、

「え～？　チーズを？」

と言った。

「これがまた妙に合うんだって！」

トラは笑いながら、私のお皿にそのパスタを取ってくれた。私はどういう味なんだろうと思いながら、一口食べた。

「おいしい！」

もずくが熱く溶けていて、ゴーヤーの苦味が油っこさを消していて、ほんとうにおいしかったのだ。

「冷めたらまずいから店には不向きなんだけど、おいしいでしょう？」

トラは嬉しそうに笑った。

「楽しいね、こうやっておいしいと思うのって。」

私が言うと、トラはうなずいた。

「つまんないことがたくさんたくさんあって、力がなくなるようなこととか、生きててもしかたないと思うようなことがたくさんある、TVを観《み》ても、なにをしてもいつでもたくさん目や耳に入ってくる。だから面白いことをたくさんして、逃げ続けるんだ。逃げ続けるしかできない戦いなんだよ。僕のちっぽけな人生を誰にも渡さないんだ。」

トラは言った。

「こういうのが、急にもりもり力がわいてくる。ピンキーちゃんのでっかいケツ見ながら、俺が考えたパスタを急にこうしていっしょに食べてるだとか。」

「ケツはよけいだよ。」

私は言った。

その夜、トラははじめて、ホテルの私の部屋に泊まっていった。

そして誰もなんにもお願いしてないのに、シャワーを浴びてからとなりのベッドに横になって、

「寝不足で一日二回は無理だから、明日朝起きたら絶対にする。」

と言った。

そしてトラは、天井を見上げてしみじみと言った。

「僕、明日の朝は絶対に生でやる。だってもう子供できてもいい。もう本気で好き。ピンキーちゃんなら全然いい。」

「また、そんな勝手なことを……。」

私は笑った。

「だって、いいんだもん。ピンキーちゃんの子供ならほしいもん。」

トラは半分寝ぼけたような目をして、天井を見ながらそんなことを言っていた。

「なんだか、私までそんな気がしてきた。だいたい今、ずっといっしょにいた人のような気がしてるもの。」

「そうでしょ、こんなのなかなかないよ。じゃ、目が覚めたら絶対に生でやろうね、待っててよ。」

トラは真顔でそう言った。どうも冗談で言っているのではないらしい。彼がこれまでそういうことを誰かに言ったかどうかとか、それがどのくらいの数だったのかとか、そういうことを考えようと思えば考えられたけれど、私はそうしなかった。今は今だし、先のことは先のことだから、どうでもいいと思ったのだ。

「別に待ってないけどさ、そうしちゃおうか。」

私はどうしてか、とてもにこにこと笑いながら、そう言った。

「うん、絶対。約束しよう。ああ、楽しみ……。」

トラは言った。そして続けた。

「だめだ、もう意識が消えそうだ……ねえ、ピンキーちゃん、名前は、ほんとうはなんて言うの？　僕は虎靖《とらやす》。」
　私は答えた。
「桃子よ。」
　ふたりは今、またひとつ近づいた、そう思えた。
「そうか、桃子か、桃子……いい名前……。」
にこにこしてそう言いながら、彼は左だけふとんから出した手を私とつないだまま
で、ぐうぐう寝てしまった。寝不足で運転してくれたり、店を手伝ったりできっと忙
しかったのだろう。その熱く乾いた手を、私はそうっと離した。
　私もトラといたいから、なんだかもうなんでもいいか、というようなのんびりした
気持ちでシャワーを浴びて、疲れた足の裏をマッサージして、小さくTVをつけて観
ながら、冷えた缶ビールを飲んだ。
　トラのいびきがうるさくてTVの音があんまり聞こえなくても、私は幸せだった。
　こんなふうにただべろーんと、だらーんと穏やかな時間が、あの結婚生活にあった
だろうか？
　いや、なかっただろう。いつもどこかがはりつめていたから、多分無理をしていた

のだ。

そう思うと、驚くほどの幸せがこみあげてくるのを感じた。

荷物はだらしなく出しっぱなし、服は椅子《いす》の背にかけっぱなし、私は爪《つめ》を切りながらビールを飲んではしたないかっこうで、濡《ぬ》れた髪のままで、時間が過ぎるのを見ている……ひとりではなく、部屋の中に人がいるのに。

ちょうどいい……なんでも、なんとかなる、どうにかなる感じがした。

やっぱりがじゅまるが会わせてくれたんだ……私は、今度絶対にトラの家のがじゅまるの絵を描こうと思いながらベッドに入り、しみじみとそう思った。

そもそもはがじゅまるがこの旅のはじまりだった……私はあの夜のことを懐《なつ》かしく思い返した。もう本屋であったいやなことなんてすっかり飛び去っていて、跡形もなかった。ただがじゅまるを見ていて海辺に行きたくなったことだけがよみがえってきた。

私はあのがじゅまるをもう十年も大事に育てて、話しかけて、いっしょに陽にあたり、離婚のときも手荷物としてかかえて、まるで寄り添うみたいにいっしょにタクシーに乗り、姉の家でもずっといちばん日が当たるところに置いていた。

私がゆっくりとがじゅまるに対する気持ちを育ててきたので、私の意識の奥底にはがじゅまるに対する後ろめたさがみじんもなく、いい気持ちで彼らに接することができ、私はがじゅまるが大好き、そしてがじゅまるたちも私が大好き。彼らの世界にその思いがしっかりと輪のように伝わっているのだろう。

こういう言い方もできる。私はがじゅまるが大好きで、たまたまあの道で同じ木を見つけて、その下にいたトラにただただ好感を持ちました……どっちでもいいのだ。でも、いろいろな偶然はなんでも目に見えない魔法に決めてもらったと思うほうがすてきだ。そのほうが、TVの中の私に恋焦《こいこ》がれていた、若いトラの切ない気持ちに似合うだろう。彼はいつか絶対にこの女の人に会いたいと神様に祈ったのだろう。

そして私はずっと「自分のままでいたいけど、どうしてか間違ってしまうの」と切ない心をいつのまにか、ずっと近くにいたがじゅまるに伝えて助けを求めていたのだろう。

トラの強い気持ちは、もう忘れた頃に、私に準備ができたときに私を呼び寄せたのだろう。

そんなお互いの気持ちは空のどこかで、さまざまな助けを得て出会っていたのだろう。

今、このときでなければ、私はトラをこういうふうには好きにならなかっただろう。それぞれがどういうふうにかひきつけあい、現実はこうやってとにかく動いて流れはじめる。

きっとそういうことがちゃんとあるんだ、神様や精霊はお祭りのときに形だけ出てくるものじゃなくって、私たちはまだまだそういう神話の世界を生きているんだ……特にこのあまりにも美しいものをたくさん持っている島では、そういうふうに自然に思えたのだ。

そして私は夢を見た。

〝ああ、この夢はなにか深いところでほんとうのことを言っている夢だ。きっと、今、となりのベッドで寝ているトラも、なにか似た啓示の夢を見ているに違いない〟

夢の中で……私はトラと手をつないで、那覇《なは》の夜を歩いている。ぽつぽつとお店の明かりや赤提灯《ちょうちん》があって桜坂《さくらざか》に似ているのだけれど、それは架空の桜坂であって、実際にはない道なのだった。すごく細いくねくねとした路地を、私たちはトラの案内で散歩していた。

なんだか空気はつやめいていて、春のような感じだった。水や新芽や若葉の匂《にお》いがなまあたたかい大気と空を高く渡っていく風の中いっぱいにつまっている。空の色もふくらんだ風船みたいにぱんぱんに黒かった。墨がたれてきそうな感じだった。

「道を間違えたみたい。」

とトラが言った。

「そこ、抜けられたと思ったけどな。」

前方は行き止まりで、路地はそこで終わっていた。

そこにあるのは小さな二階建てのレトロな感じの美容室で、築四十年はたっているだろうという建物だった。一階が店舗、二階は住居、茶色とみどりのタイルがはってある。

「あ、なんだか、すっごくいいものが見える。」

とトラが上を見上げて言った。

見ると、カーテンが開いているのに、ふたりの女の人が湯上りのほとんど裸みたいな姿でゆったりと身支度していた。ひとりは娘さんらしく、体はふっくらして真っ白だった。髪の毛をくしでとかしている。もうひとりはまだ若いがお母さんらしく、椅子にすわってやはり髪の毛を結っていた。ふたりは微笑《ほほえ》みながら会話をしていて、そのようすはまるで天女のようだった。まつげが長くて目が大きくて、真っ黒な髪の毛がとても長かった。

「ほんとうだ、なんだか天界みたいにきれいだわ……。」

私もじっと見てしまった。

やがてその美しいふたりは、こちらに気づいたが、恥ずかしがるでもなく、にっこりと笑った。私たちにまるで皇族のようにゆったりと手を振り、見えそうな胸を片手で隠し、そしてゆっくりとレースのカーテンをひいた。そのレースのカーテンが、光になってふたりをふわりと覆《おお》ったように見えた。そしてふたりの丸みをおびたシルエットはまだ美しく窓に映っていた。

「なんの変哲もない美容室なのに、天国みたいだなあ。」

トラは言った。

「あ、そっちのほうに小さな道が続いてるよ。抜けられそう。」

私は言った。そしてトラの手を取ったまま、そっちへ歩き出した。美容室の入り口はやはり古臭くて、タイルがはってあり、赤白青のサインがくるくる回っていて、お客さんは誰もいなかった。でも清潔そうな玄関はぴかぴかと光るほどに磨かれ、赤とピンクの薔薇《ばら》の花が飾ってあり、こちらまでいい匂いが漂ってきた。

「いいなあ、こういうのがほんとうに福を呼ぶ店で、実際こういうのは、普通の人に混じって普通のふりをしてるんだ。」

トラは言った。

美容室の前を抜けて、体ひとつぶんくらいの路地を抜けたら、少し大きな通りに出た。街灯がぽんぽんと丸くともっていて、きれいに続いていた。居酒屋さんのちょうちんがあったり、こうこうと明るいさしみ屋さんがあったりする、昔ながらの小さな繁華街という感じだった。

少し歩くと、赤く大きな祠《ほこら》みたいなものがあり、中国かどこか異国の感じで立派な着物を着た像が三体奉《たてまつ》られていた。色とりどりのお供えがあり、お香もたかれていた。しかし、表情もきりりとしているその像には、なぜか少しも心ひかれなかった。なんだかいやな感じがした。

「私、ここあんまり好きじゃない。」

「見ないで！　魂が減る。」

トラが鋭い声で言った。

「ここは、きっと、よくないところだよ。」

私は目をそらした。ほんとうにそうだと、確信を持って思えたのだ。

そして、私は思った。

この世の中は、こういうふうなことでいっぱいなんだ。よく見よう、ああいうよくない魔法を。外側はとてもちゃんとしていて、そこに人がぞろぞろと吸い込まれていくんだけれど、中には汚れて臭いものがいっぱいにつまっているものって、きっとこんなふうにいっぱいあるんだ……。

大丈夫に見えて、薄汚れているもの。それから、だらしなく見えて実はきちんとしたもの。古びて見えるのに、まだ真珠みたいにそっと輝いているもの。

海だとか、空だとか、誰が見ても巨大でおそれを感じさせ、そして美しいものは別として……だいたいのものはもっとわけのわからない形に混じっている。

それをひとつひとつひろいあげて、自分で見て、触って、嗅《か》いでみてはじめて自分にとってどういうものか考えること。

そういうのが混乱していたから、おかしくなったんだわ、と私は思った。

私はなにものでもないけれど、それはできる。それは確かにできる。それだけでいい、だって私にはさっきの人たちのほうがとても美しく見えて、全然だらしなくなんか見えなかった。お店も古ぼけていたけれど、決してうらぶれて見えなかった。

「さっきの美容室のほうが、よっぽど拝みたい感じがしたわ。」

うん、とトラがうなずいた。

ああ、ここがいっしょなら大丈夫だ、この世の荒波のなかで、ここの考えがいっしょなら、まだいっしょにいられるんだ、私はそう考えた。

いつか時が来て、いっしょにいられなくなる日まで。

私は彼の手をぎゅっと握って、これからゆく夜の闇《やみ》の世界でもこの光を、このぬくもりを決して離すまいと、思った。

リッスン

僕は特に目的もなく浜を横切っていた。

岬をひとつ回ったら、人気の少ないビーチに出た。岩場で水深もすぐ深くなりそうで、決して泳ぐ感じではなかったが、水はほんとうに美しかった。エメラルドグリーンの海はまるで作り物のような、入浴剤のような色だった。

それでも何組かの人たちがキャンプをしていて、テントがいくつか並んでいた。大きな犬がものすごく響く声でワンワンほえながら走り回り、アメリカ人の家族が楽しげにバーベキューをしていた。この暑い中でバーベキューをするなんて、なんていう丈夫な人たちだろう、しかも肉を焼いている……。頭がくらくらしてしまい、僕は必要以上の笑顔であいさつを返した。

まだまだ先へ進んだ。暑すぎて民宿に戻る気も起きないし、夕食までまだ間がある。

ただガンガンと散歩するしかないのだった。たまらなくなったら水に入って、また乾かして……今日はずっとこのへんでそうやって過ごしていた。その浜も通り過ぎて、また次の浜へ。行ったり来たりだ。

やがて陽がほんの少しだけ西に傾いてにわかに世界が金色を帯びてきた。暑さは変わらないけれど、風が少し出てきた。夕方の予感がじょじょに世界を満たしていく。

ひと泳ぎして浜に上がると、さっきの犬の声が遠くで響いているのが聞こえてきた。

僕はTシャツを敷いて、木陰でごろりと横になった。

しばらく目を閉じて、また目をあけた。まだ光は荒々しく激しかった。そして、向こうから女の子が歩いてきた。

ランニングの上にオーバーオールを着て、妙にぼさぼさしたうんと長い髪の毛をひとつにゆわいている、薄汚い女の子だった。顔はいかついけどわりとかわいかった。真っ黒な肌の中にぎらぎらと光る大きな目が見えた。それから太ももがむちっとしていて、歩くたびに股《また》のところがぱちんぱちんとぶつかる感じがよかった。僕は彼女に「こんにちは。」と言った。

彼女は「こんにちは。」と言うと、僕のとなりにどさっと腰を下ろした。

よく見ると服もえらく汚いし、なんだか汗臭かった。そしてもちろん産毛《うぶげ》の濃いのだとはわかっていたが、うっすらとひげも生えていた。

「ワイルドだなあ……」と僕は心の中で思っていた。

彼女はまるでずた袋みたいにどさっと腰を下ろし、ほんとうに疲れたという顔をしていた。まぶしいからではなく、しかめつらをして、じっと海を見ていた。

「どこから来たの？」

僕はたずねた。

「しばらくこの浜に住んでるの。パパといっしょよ。薪《まき》を拾って来いって言われたから。」

彼女は言った。年のころは十四くらいだろうか、まだ子供の顔をしている。

「薪って……、キャンプかなにか？」

「ほとんど野宿よ。それに今日はお客さんもいてうんざり。」

彼女は言った。

「あなたを見て、『また旅人かよ』って思ったわ。」

「なんだよ、旅人じゃ悪いの？」

僕は言った。

「ううん、あなたはなにかそういうのではなさそうね。だからちょっとここでさぼるわ。ちょっとだけ私を和ませて。うちのお父さんが掘っ立て小屋みたいなので暮らしてるのを見ると、そして私と自転車でいっしょに旅をしてきた話をすると、旅人は妙にしびれるみたいで、お父さんのバカなくだらないもっともらしい話を喜んでうんうんうなずいて聞くってわけ。焚《た》き火《び》の前でさ。お父さんは単にお母さんに逃げられてやけくそになって放浪してるだけなのに、なんかかっこよく見えるんじゃない？　若い人たちには。」

「君も若いよ！」

「でさ、お父さんのくだらないまずいご飯をありがたがって食べるわけよ。もううんざり。それで、語り合って、お父さんは淋《さび》しさをまぎらわせて自分がもっともらしいと思いたがって、旅人は人生を勘違いして帰っていくってわけ。そういう最悪のセットで成り立つ世界の中に私は仕方なくはまってるの。」

「君、毒舌だね～……。」

すっかり感心してしまい、僕は言った。

「そうもなるわよ、こんな暮らししてたら。」

彼女は言った。

彼女は足の爪《つめ》の中まで泥で真っ黒だし、腕も首もなんだか汚かった。こすったら消しゴム二個分くらいの垢《あか》が出そうだった。僕は別にロリコンじゃないので、彼女にあまり興味がなく、さらに彼女はとても子供っぽく見えたから、そういうのを見ると、なんだか気の毒になってきた。まだ自分でいろいろ選べる歳《とし》じゃないのに、親に連れてこられてここにいるんだろうなという気がした。

「これからもずっとお父さんと旅をするわけ？」

「海外にならついていってもいいかな、って今は思ってるけど。」

「ここには長いの？」

「いつも警察が来るまでいる感じだから、もう一ヶ月かな。」

「学校とかどうしてるの？」

「一年間の休学よ。」

「じゃあ、本腰いれてついてきたんじゃないか。」

「言わないで、気の迷いよ。そのときはそう思ったのよ。」

彼女ははじめて笑った。照れくさそうで、片方の目だけがうんと細くなる笑いかたで、僕はそういう女の子が好きだったので、急に好感度も上がった。

「ここはどう?」

「すごく好き。海の色が最高にきれい、お風呂《ふろ》がなくても全然平気。それからね、夜になると、ものすごくたくさんの生き物がうごめいてるのを感じる。目に見えるのも、見えないのも、なんでもかんでも。慣れてそういうのが理解できてくると、突然、ここに来てよかったと思えてくるものなの。」

「そういう暮らしに慣れてるんだね。」

「夜になると、人間は出番じゃなくなるみたい。自分の小ささを感じるの。もう果てしなく小さい存在なんだって、思うの。これって街中では絶対にありえないことなんだけれどね。街では人間と人間、同じ大きさのものどうしの関係がほとんどだから。」

「ここはなんだか人間同士もすごそうだよ。」

「そうなの? 旅人としか接してないからわからなかったわ。」

「民宿に一週間いるだけで、もうなんだかドロドロしたものがうずまいてるのがわかるね。みんなお互いを見張りあってるような。幻想かもしれないけれど。ツイン・ピークスみたいなところだよ。みんなちょっとした秘密があって、利害関係もほんとうはあってさ。」

「なにそれ?」

「アメリカのドラマ。田舎の小さい町でいろいろな変わった人が不可思議な人間関係の中に生きてる話。」

「この島の中に、みんな閉じ込められてるんだもんね、いろいろな目に見えないものに囲まれて。」

「それが人間っていうものなのかも。」

僕は言った。

「でも私はその中に根を下ろしているわけではないから。うまくいかないことがあったら、すぐに移動するの。」

しかし、どさっとおろした彼女のおしりは砂にめりこんだみたいにしっかりと根を張って見えた。うまくいかないことがなかったら、いつまでもここで体のあちこちが薄汚れたままで、暮らしていくのだろうかなあ。そして心のどこかが硬くなって、もう全《すべ》ての柔らかさが失われてしまって、一生戻ってこなくなって……。

この輝きも、ウィットも、運命に抵抗する力も、みんな失われてしまうのだろうか。

そして僕はこの会話をどこで終わらせて自分が帰ったらいいのか、わからなくなっていた。彼女は毎日がもうだいぶ退屈で、今夜も待っているお父さんと旅人のワンパターンなジャンボリーに戻りたくなくって、それでここで僕を見つけて時間つぶしをしているのだろうから、もうしばらくいてもいいかな、と思った。別に急いでいないし、ちょっと黒くてくさいというだけで、なんだかかわいいし。それに自分だって同じくらい黒くてくさいのだから、別によかった。それでも僕はなんとなくいつでもそわそわして、次に行くところのことを考えているようだった。都会人の特徴が、こんな海の前でも抜けはしない。

彼女の、成り行きにまかせて流れていくような人生がちょっとうらやましく思えた。しかもそれに慣れているところがいちばんすてきに見えた。無造作に時をひきのばせる力を、彼女は旅の生活で身につけているように思えた。

「ずっとそういう暮らしでいいの?」

「うん、でもそのうちNYでモデルでもしようかな。」

「簡単に言うね~。」

「私、背が高いから不可能じゃないと思うの……なんてね、実は昨日お父さんの本棚から借りて、イヌイットでモデルになった女の子の本を読んだんだ。すごく面白くて、影響を受けただけよ。」

「いいのかも、人生は振幅が大きいほうが面白いし。」

「ね、そうでしょ？　海を見ながら夢見てるのは楽しいよ。」

かわいくそう言ったとき、はじめて彼女はほんとうに子供っぽく見えた。

「でも、あなたも旅人だもんね、旅人の言うことはうそばっかりだから、私信じないの。」

「そりゃ僕はゴカイやヒトデを見たって気持ち悪くなるような軟弱な男だけれど、ダメな人間だけど、旅人じゃないよ。単なる旅行者。期限もちゃんとあります。別に沖縄に幻想を抱いたりもしてないし、ゴーヤーチャンプルーと肉野菜炒《いた》めは全然違わないと思っているし、ヒッピーなパパに人生とはなにか、なんて問いかけたり、答えを期待したりしないよ。悪いけど、十代の娘を休学させて旅行に連れてきてるのにも正直反対するし。そういうのに最愛の娘を、理屈をつけて巻き込んじゃうような、男のそういう弱さって、わかるだけにうんざりするんだ。」

「おしゃべりな男の人って最低。」

パパをばかにされて、さすがに彼女はちょっとむっとしたようだった。いいのだ、辛らつなしゃべりがゆるされてばかりいないっていうことを、ちょっとは知ったほうが……と僕は三十男の余裕を見せて、動揺もせずに思った。

「いろんな人がいるんだよ。」

僕は言った。

「うん、そう思う。」

彼女は砂をいじりながら、そう答えた。

それからしばらくは波の音だけがふたりを包んでいた。金色の光が彼女のいろんなところに生えている金色の産毛をまぶしく光らせていた。波がまるで浜をごしごしと洗うような勢いでよせてはかえしていた。

「旅人にひどくだまされたことがありそうだね。」

「いっぱいよ、いっぱい。こういうところでだけ、すてきなことが言える人っていっぱいいるんだよね。」

「家に帰るとただのだめな奴《やつ》だったりね。」

「それに意外に口ほどアウトドアが得意じゃなくて、テントも満足に張れなかったりね。」

「それって比喩《ひゆ》じゃないよね？」

「いやだ、下品な奴！」

彼女はげらげら笑った。そして言った。

「文字通りのテントだよ。私もすっかり慣れて、そうとう条件の悪いところとか、風が強い日でもテントを設置できるようになったし、見たい星を天体望遠鏡でぴしっととらえることもできるし、もちろん火も起こせるし、焚き火も長続きさせられるし、虫除《むしよ》けもいつでもおこたりないし、魚も貝も採れるし、潮の流れを確かめてから泳ぐよ。そんなの黙っててもできるもん。でも、口ほどにはそれができない人が多いんだよねえ……。」

「男の価値はサバイバルの能力にあると思ってるの？」

「そんなことないけど、口だけの人はいやなの。」

「なんか、そういう奴、いっぱいいそうだな。」

「そうなのよ。それでさ、旅が長くて女に飢えてるから、私にいろいろな抽象的なことを話しかけて、結局目的は体なんだよね。目がずっと体を見てるんだよね。もうそういうの、飽き飽きしたよ。もっとシンプルに生きられないのかしら。」

「シンプルに生きられたら、君のお父さんに興味持ったりしないよ。きっとひとつのステレオタイプからもうひとつのステレオタイプに移行しただけで、その人たちの旅は、会社に就職するのとなにも変わらないんだよ。」

「やっぱし。」

「でもさ、ほんとうにすごい旅人もいるよ。」

「まさか、あなたのこと?」

「冗談じゃない、僕は部屋に蚊が一匹いるだけで夜眠れないようなタイプだもん。そうじゃなくて、ほんとうにシャープな奴って、やっぱりいるよ。目と目を合わせれば、まるで剣豪のようにわかるものだよ。そいつがどのくらい旅をして、どうやって生きてきたかが。」

「見てみたいな。」

「でもさ、君もここで旅人の悪口言ってるようだと、君のレベルが下がって、ろくなレベルの奴が集まってこなくなっちゃうよ。」

僕は言った。彼女はあんぐりと口をあけて、僕を見た。

「最低、あなたってニューエイジの男なの？　旅人以下ね。」

僕は笑って言った。

「そんな抽象的なすばらしい意味での意見じゃなくて、たんなる現実だよ。だって、もしも僕がすごい奴だったら、ここで砂まみれになって真緑のきれいな海の前で旅人の悪口言ってる君を、しょせんそういう奴かと思うもん。」

「……なるほど、ふに落ちたわ。」

彼女は言った。

僕は意外に思って感心した。仕事でもプライベートでも、いろいろなところに旅をしたから、見るだけはいろいろなものをたくさん見てきた。そして、長い間野外で暮らしていると、人はなんだかすさんだようになって、なんにでも反発するようになるということも、何回も見てきた。僕は、この子もそういう子なんだろうな、と思っていた。理想を求めて野外で暮らしている人たちが、けものじみるはずなのに、どうしてかどんどん人間くさくむき出しになっていくのは不思議だった。みな意地悪くなり、目がぎらぎらしてくる。人間には天井とか、温かいお湯とか、冷蔵庫とかがきっと必要なんだ、と僕はそういう人を見るたびに思う。

でも、この子はそういう感じではなく、もしかして僕よりもずっと厳密に今の瞬間の中で鋭くとぎすまされているようだった。学ぶべきものがあるから、年下扱いはしないようにしよう、と僕は思いはじめていた。

「じゃあ、どういうポイントに自分を持っていくべきか、ちゃんと考えてみようっと。」

彼女は言った。

「でもとにかくいいかげん、あきてるのよ。ああ、ホテルに泊まりたいな、とか思いはじめてるわ。パパは旅人がいれば退屈しないだろうから、もうそろそろ抜け出しておばあちゃんのところにでも行こうかなと思って。」

「なんだ、自由がきくのか。」

「うん、パパが淋しがって圧力をかけてくるのはわかってるんだけれど、もうそのかわしかたもわかってきたのよ。」

「いずれにしても、あんまり長くいないほうがいいかもね。髪の毛も傷《いた》むし、陽に焼けすぎるし。」

「私って、そんなに小汚い？　もう那覇《なは》市内を歩けないほど？」

「なかなかいない外見になってるよ。その年頃の人としては。」

「やばい！　だんだん麻痺《まひ》してる、そういうのが。」

「無理もないよね。」

僕たちはしばらく黙って海を見ながら、じりじりと陽に焼けていった。風が出てきて、そんなには暑くない。金色の光が蜜《みつ》のように雲を染め始めていた。乾いていくシャツから潮の匂《にお》いがしていた。彼女はすっかり自分の中に入り込んだように、じっとじっと前を見ていた。もう一回こっちを見て、話しかけてくれよ、と僕は体が陽にさらされすぎて、からからに乾いてしまってくらくらしながら思った。彼女はきっと五時間でもこうして考えていられるのだ。そのことの美しさにめまいがしそうだった。

「ちょっと泳いでくる。」

僕はそう言って立ち上がり、どんどん海に入った。

水が体のすみずみをすうっと冷やして、体の凝ったところや痛いところをじわりとマッサージしてくれるようだった。靴が水を吸ってずっしりと重くなり、体に力が戻ってきた。波がくりかえし口元を洗い、髪をぬらし、ひりひりしている頭のてっぺんを冷やした。水の中には青い魚や黄色い魚やまだ白くなっていないぶよぶよした珊瑚《さんご》たちがいた。

「ああ、すっきりした。」

またびしゃびしゃになって、水をぽたぽたたらして、僕は彼女のとなりに戻り、どさっと寝転んだ。これでまた乾くまでここにいなくちゃ、と思いながら。

「あ、今、あなたから冷たい空気が届いた。」

涼しそうな顔で彼女が言った。

「このくりかえしで一日が終わってくんだ。」

と僕は言った。

「今日は暑いからすぐ乾くね。靴も服も。」

「なんかあなた旅人ぶってるけど、文明の匂いがするのよ。」

彼女は言った。

「あなたを見てると、いろんなことが懐《なつ》かしい。きれいなスカートがはきたい。クーラーのきいた部屋の中で清潔なタオルケットをかけてお昼寝をしたい。真水で思い切り洗濯したいなあ！　川の水じゃなくてさ。蛇口から出てくるので。まあ、あっちのほうの家のおばあちゃんが水道貸してくれるから厳密には不自由はないんだけれどね。やっぱり遠慮してるからね。」

「さっきから言ってるでしょ、僕は旅人じゃないんだってば。ただの旅行者だって。」

僕は言った。

「ここはホテルがないから民宿だけれど、週末に船が来たら、那覇に戻って、ホテルに泊まるんだよ。」

「なんのお仕事してるの?」

「日本文学の書籍の編集者。」

「今はお休みなの?」

「そう、夏休み。」

「ふうん。パパの本、読んだことあるかな。」

「パパって本も書いてるの?」

「うん、だからこそ旅人がたずねてくるのよ。パパはサイトを持っていて、たまに更新して場所を知らせちゃうからさ。まあ、知ってほしいんだろうけれどね。」

「パパはなんていう人? なんていう本書いてるの?」

僕はたずねた。彼女は答えた。僕はその人を知っていた。昔インドの旅行記がよく読まれていた筋金入りのヒッピーだった。そうか、彼のおじょうさんか……確か、お母さんは、これもよくありがちな話だが、ハーフで元モデルだったはず。このおじょうさんは気の毒なことにお父さんにより似ているみたいだけれど、そうか、彼らの娘なのか……と僕はこれまでに見た彼女の両親の記事を思い浮かべた。

そして彼女が言った。

「ねえ、なんでこんなにうまが合うのかな、私たち。ちょっと異様じゃない?」

僕はどきっとした。僕もまさにそう思っていたからだった。この話のとぎれなさは異常だった。本来僕は長く人と話していられるタイプじゃないから、こんなにしゃべることはなかなかないのだった。

奇跡は予想しない形でしか訪れない。

このひとときだけ、誰ともしゃべれないことを、こうして誰かと話している……知らない人と、はじめての場所で。こんなことは朝の僕には決して予想できなかった。でも、そもそも、予想なんてしないとこの人生で何回も決めたものだった。予想したらなんでもだめになってぐちゃぐちゃになって地面で死んでしまう。

「ちょっと貝でも食べようか?」

「それって、またいやらしい比喩?」

「ばかだなあ、ほんとうの貝だよ、待ってて。」

僕が体を冷やしに入ったのとは大違いで、彼女はそのたくましい筋肉のついた足で、ぐいぐいと岩と珊瑚だらけの海に壊れかけたビーチサンダルのまま入っていった。そしてふとい毛の生えた細い腕でポケットからとりだしたナイフを使って、いくつかの貝を採ってきた。

「ほら、おいしいんだよ。」

水浸しで、水滴をたらしながら、そしてその髪の毛から落ちた水滴が貝殻に落ちて、汚かった足の爪《つめ》が海水に洗われていつのまにかきれいになっていて、でもふぞろいに爪が伸びているのはそのままで、そういう全《すべ》てが堂々としてセクシーな彼女にへなちょこな僕は結局かなわないということに、すごく嫉妬《しっと》を感じた。

「菌がいない?」

「いたらもう私なんかとっくに死んでるよ、ほら。むいてあげるから。」

まだ生きているぬめっとしたシャコ貝は、海水の塩分で最高においしかった。

「ビールかワインがほしいところだな。」

「なにもないから、つまみだけね。」

彼女は笑った。

こんなかっこいいことをしてくれた女の人がこの人生にいただろうか？　と僕は考えた。せいぜいが部屋でカレーを作ってくれたというくらいじゃないだろうか。まだ見てないものがこの世にはありすぎる……彼女の大嫌いな旅人のように、僕はしみじみとそう思った。限定してはいけないんだ、限定だけが敵だ。だってなにが起こるかほんとうにわからないはずだから。若い女の子が僕に海から貝を採ってきてくれる、こんなことだって。

「ねえ。」

貝をすすりながら、濡《ぬ》れた彼女は言った。

「私たち、うまが合いすぎるよ。ちょっとあっちの木陰でセックスしてみない？」

「今？」

「そう、今。」

「すてきだけど、暑すぎる……それに、ふたりともなんか生臭いし。」

僕は言った。それはすごくすばらしいことだけれど、家に帰って空想するには最高でも、現実のこのざらざらべたべたした体でギラギラするには、僕は老《ふ》けすぎていた。それにそんなの、すぐに終わってしまうじゃないか、と僕は思った。

「そこがいいんじゃない。体が熱くて、ぬるっとしていて、あっというまにできて、すぐに体も洗えるよ。」

彼女の言葉で僕はすごく興奮したが、抵抗したかった。こうやって、楽しいことはひきのばそうというのも、大人のいやらしさだと思う。

「それは君の生活でしょう。」

僕は言った。

「じゃあ、今日はこのまま何もないんだ。つまらないなあ……。」

まるで面白いTVを見損なっただけみたいに、彼女は言った。

僕は別に道徳的なことを重んじる人間じゃない、でも、彼女をこんな、壊れた野生の人形みたいにしてしまった環境にはやっぱり怒りを感じた。これまたステレオタイプな魅力を振りまいて旅人を思うがままに振り回せる、でもそれは刷り込みであって彼女ではない。僕の中に意地悪に芽生えてきたのは、自分の娘をこんなふうにしてしまったインチキ野郎への燃えたぎるような怒りだった。俺がなんとかしてやる、この変な枠組みから外に出よう、そう言いたかった。パパ以上の価値観をぶつければ、彼女を揺らすことぐらいは絶対できる、とにかくやってみよう、そう思った。それが、この人生に精一杯順応してきた彼女への敬意だろう、と僕は思った。木陰で十秒でいってしまうような男たちの列に加わってたまるか、パパの世界以外にもいいことは、いいやり方はあるということを、それを選ぶのは彼女自身、世界中で自分だけだということを、絶対に示したい。

それは僕がこれまでに見てきたインチキで弱くて女に甘えきっている大人の男たちに対する怒りでもあった。ロマンでごまかさないで、ただ変なものを見たい、枠を超えたい、そういう気持ちを持ち続けてきた自分への思いもあった。決まりきった価値観を静かに叩《たた》き壊したかった。僕こそが少年のように青臭く、彼女を通じて、彼女への熱い気持ちでそう思ったのだった。

「やりたいのはやまやまだけど、僕はもう十五歳の少年とかじゃないんだ。きれいな部屋で、落ち着いてしたいの、そういうことは。」

「ふんだ。」

ふられたと思ったのか、彼女の目は涙でいっぱいだった。

それを見て、今すぐに彼女を木陰に引きずり込みたくなったのは僕だけれど、もうあとへはひけなかった。

「ここの民宿はとても急にはまぎれこめない。君は目立ちすぎる。これからもここに住むなら、絶対に無理だ。だから、明日、予定を早めて船に乗って那覇に行かないか。そしていっしょにホテルに泊まろう。」

「船のお金がないわ。」

「僕が払う。」

「それは……なんだか私の世界じゃないみたい。」

「君の世界は君が日々創《つく》るの。」

僕は言った。彼女はつぶやくように言った。

「そうか……。そうかも……。」

「それで、もしも君がやっぱり野外でやりたいっていうなら、僕はもう一回君といっしょにここに戻ってきてもいい。まだ休暇中だから。」

「ほんとう?」

「それも、すべてが相性しだいだと思う。」

僕は言った。

「なんだか、楽しくなってきた。楽しいなんて、もうこのところずっと思ってなかった。だって、いつでも『こうなるだろう』と思うようになるの。だからもうつまらなくて気が狂いそうだった。でも、今、私楽しいよ。」

彼女は目をきらきらさせてそう言った。

「でも僕もただ若い君とやりたいだけの僕だから。信用されても困るけど。」

「ちょっと失敬。」

そう言って、彼女は僕の下半身をまさぐった。

「硬くなってるから、許すわ。そして信じるわ。」

「ありがとう。」

「明日、午前中に民宿に行くね。どうせさんだる荘でしょ?」

「そうそう。」

「なんでもお互い様なのよ、わかってる? 私は売春婦じゃないし、あなたも犯罪者じゃないのよ?」

「わかってるって。」

「じゃ、明日ね。」

彼女はまだ全体が半乾きのまま、砂だらけのままでざっと立ち上がった。そして砂を払いもせずに、すたすたと、ふりかえらずに歩いていった。

僕は彼女が森に消えていくのを、じっと見ていた。

思わぬ楽しさを拾ってしまった嬉《うれ》しさがじんわりとこみあげてきて、まるで明日の遠足が待ちきれない子供みたいに走り出したかったが、じっとこらえて、ただ見ていた。

このわくわくとした気持ちを彩《いろど》る、波の音をただ聴こう。人生の最高のシーンのひとつとして全部を焼き付けよう。沈黙の中で、ひとりで。

目を閉じると彼女のぷりぷりと揺れるおしりが残像としてよみがえってきた。そして光のせいでまぶたの裏の世界は黒ではなくて、オレンジ色だった。耳には彼女のかすれた声と、波の音だけが音楽みたいに混じって残っていた。それをいつまでも聴いていたかったが、服はどんどん乾いていってしまう。時は去ってしまう。こういう変なことが変なふうに起こるのを、そして僕の中のわけのわからない情熱がうごめく瞬間を、僕はいつでもどこでも待っている。そしてそれはこうしてたまにやってくるから、生きていられる。

明日の僕もそう思うだろう。動いていく世界を聴き続けること以外は、何もできないと。

あとがき

沖縄という場所が私の人生に入ってきたことは、とても大きなことだった。

いくら面倒くさがっても食い下がって私を連れて行ってくれた新潮社の松家さんに深く御礼を申し上げたい。「絶対、よしもとさんは沖縄好きですから!」という彼の言葉は今も私の耳に響いてくる。

そこで私は写真家の垂見《たるみ》健吾《けんご》さんと出合った。いっしょに暮らしたり、人生の深い話をしたりしたわけでもないのに、その人がもしなにかあって人を殺したとしても、全身でかばうことができる……垂見さんは私にとってまれな、そういう人のひとりとなった。彼こそが、沖縄が私を導こうとしてつかわした天使だと思う。

そして共に旅をした原マスミさんや吉本ナナ子さんや那由多《なゆた》くん、周ちゃん、パナヌファの人たち、新潮オカマブラザーズ……とにかくたくさんの、あそこで出合った人たちにも感謝を捧《ささ》げたい。今は子連れでなかなかああいう旅ができないから、なにもかもが懐《なつ》かしい。そのエピソードを集めた文庫もこれから作ろうと思う。

本を出すたびに我がことのように熱心に手伝ってくれる事務所のスタッフにも、ありがとうと言いたい。

この本ほど、多くの人の力でできた本はない気がする。そこがまた沖縄らしい。

この小説集が忘れがたい本になったもうひとつの理由は、ふたつの死がこの本の後ろにひそんでいるからでもある。

半分エッセイの「足てびち」で、私は友達の亡《な》くなった奥さんについて書いている。人生の最後のほんのちょっとの瞬間を私と惜しみなくわかちあってくれた彼女のことを、忘れることは生涯ないだろう。

そして「なんくるない」は小説としては思ったように描けず失敗作であるという気がするのだが、個人的にはこの小説を読むと泣けてきてしかたない。

十二年いっしょにいた愛犬との最後の日々を、この小説を書きながら過ごしたからだ。どうしても取材が足りず一泊だけ本島に行ったときも、ずっと犬のことが頭から離れなかったのだが、みんなのおかげで完璧《かんぺき》に楽しく取材ができた。そしてその取材は、長年勤めてくれた秘書の入野慶子さんとの最後の旅行にもなった。入野慶子さんにも心からの御礼を言いたい。

全然なんくるなくない状態で（？）、瀕死《ひんし》の犬がいるそばで書いていたのだが、この小説に出てくる人たちはとても優しくて、私をなぐさめてくれた。詰めのときは夜中も起きていたので、愛犬とふたりきりで、これを書きながらその優しい男女と静かな時間を過ごした。

私の作家人生の中でも、「自作に感謝する」という珍しい作品だと思う。

主役たちの頼りなくてダメでへなちょこできらきらしている感じを表すことができたのは、表紙を描いてくれたウィスット・ポンニミットさんだけだった。私のツボにはまりすぎていつものたうちまわってしまうような大好きな作品を描くタムくんありがとう！　そしてタムくんを紹介してくれた澤文也《さわふみや》さんもどうもありがとう！

そして「この絵には、あの人しか……。」と、松家さんと私が一発で！　思いつき、なぜか満面の笑顔でお願いしてしまった祖父江《そぶえ》慎《しん》さんにも、どうもありがとうございました。

私はあくまで観光客なので、それ以外の視点で書くことはやめた。これは、観光客が書いた本だ。

沖縄は日本人にとって、あらゆる意味で大切にしなくてはいけない場所だ。

沖縄を愛する全《すべ》ての人……深くても軽くてもなんでも、あの土地に魅せられた人全てと、沖縄への感謝の気持ちを共有できたら、それ以上の喜びはないと思う。

二〇〇四年九月

よしもとばなな

文庫版あとがき

この小説集はもしかしたら私にとってそんなに大きい作品集ではないのかもしれないけれど、折に触れて思い出すもので、好きな作品ばかりです。

この中の人たちは自分ではないのに、まるでこの人たちの思い出が自分の思い出のような気がするのです。波照間島《はてるまじま》のけだるい午後、肌が音をたてて焼けそうな浜辺の陽射し、那覇《なは》の公設市場の光と影のある景色、うるんだような夜の桜坂《さくらざか》あたりの色、天を覆《おお》うくらいに大きながじゅまるの木、ホテルの部屋の独特の匂《にお》いなどなど。

そして不思議とこの本が自然にいろいろな縁をつないでくれたりもしました。長く続く縁ばかりです。

それは沖縄が私に返してくれたものだと感じます。私は沖縄に行くと、沖縄が好きで好きで帰りたくなくて、帰りの飛行機の中ではいつも半泣きなのです。もうひとりの自分を置いてきてしまったようなあの気持ち。それをきっと大きななにかが見ていて、こういう形で返してくれているのではないかなと思います。

今はもう会えない人、まだまだこれからも会って行く人、それからなかなか会えないけれどお互いに大好きな人たち……そんな、沖縄で出会った全《すべ》ての人たちにそして読んでくださった全ての人たちとのご縁に感謝します。

沖縄の友、松家仁之さん、いっぱいお世話になったけれど異動でしばらくお仕事ができなくなってしまう加藤木礼さん、新たに表紙を描いてくれたタムくん、いつもキュートな祖父江《そぶえ》さん、いっぱい案内してくれた「私の沖縄!」(私の沖縄の、では決してない。彼は私の沖縄なのです)おじぃこと垂見《たるみ》さん、ばなな事務所のスタッフたちに、もう何回でも熱いキスを捧《ささ》げます。

2007年春

よしもとばなな

この作品は平成十六年十一月新潮社より刊行された。

よしもとばなな著

なんくるなく、ない
―沖縄（ちょっとだけ奄美）旅の日記ほか―

一九九九年、沖縄に恋をして――以来、波照間、石垣、奄美まで。決して色あせない思い出を綴った旅の日記。垂見健吾氏の写真多数！

よしもとばなな著

ハゴロモ

失恋の痛みと都会の疲れを癒すべく、故郷に舞い戻ったほたる。懐かしくもいとしい人々のやさしさに包まれる――静かな回復の物語。

吉本ばなな著

とかげ

私のプロポーズに対して、長い沈黙の後とかげは言った。「秘密があるの」。ゆるやかな癒しの時間が流れる6編のショート・ストーリー。

吉本ばなな著

キッチン
海燕新人文学賞受賞

淋しさと優しさの交錯の中で、世界が不思議な調和にみちている――〈世界の吉本ばなな〉のすべてはここから始まった。定本決定版！

吉本ばなな著

アムリタ（上・下）

会いたい、すべての美しい瞬間に。感謝したい、今ここに存在していることに。清冽でせつない、吉本ばななの記念碑的長編。

吉本ばなな著

うたかた
サンクチュアリ

人を好きになることはほんとうにかなしい――運命的な出会いと恋、その希望と光を瑞々しく静謐に描いた珠玉の中編二作品。

吉本ばなな著　白河夜船

夜の底でしか愛し合えない私とあなた――生きてゆくことの苦しさを「夜」に投影し、愛することのせつなさを描いた〝眠り三部作〟。

よしもとばなな著　みずうみ

深い傷を心に抱えた中島くんと、ママを亡くした私に、湖畔の一軒家は静かに呼びかける。損なわれた魂の再生を描く奇跡の物語。

よしもとばなな著　はじめてのことがいっぱい
―yoshimotobanana.com 2008―

ミコノス、沖縄、ハワイへ。旅の記録とあたたかな人とのふれあいのなかで考えた1年間のあれこれ。改善して進化する日記＋Q&A！

よしもとばなな著　王国
―その1　アンドロメダ・ハイツ―

愛と尊敬の上に築かれる新しい我が家。大きな愛情の輪に守られた、特別な力を受け継ぐ女の子の物語。ライフワーク長編第1部！

よしもとばなな著　大人の水ぼうそう
―yoshimotobanana.com 2009―

救急病院にあるホントの恐怖。吉本家発祥の地・天草での感動。チビ考案の新語フォンダンジンジャって？　一緒に考える日記とQ&A。

河合隼雄
吉本ばなな著　なるほどの対話

個性的な二人のホンネはとてつもなく面白く、ふかい！　対話の達人と言葉の名手が、自分のこと、若者のこと、仕事のことを語り尽す。

江國香織著
雨はコーラがのめない
雨と私は、よく一緒に音楽を聴いて、二人だけのみちたりた時間を過ごす。愛犬と音楽に彩られた人気作家の日常を綴るエッセイ集。

江國香織著
ウエハースの椅子
あなたに出会ったとき、私はもう恋をしていた。出会ったとき、あなたはすでに幸福な家庭を持っていた。恋することの絶望を描く傑作。

江國香織著
がらくた
島清恋愛文学賞受賞
海外のリゾートで出会った45歳の柊子と15歳の美しい少女・美海。再会した東京で、夫を交え複雑に絡み合う人間関係を描く恋愛小説。

佐藤多佳子著
サマータイム
友情、って呼ぶにはためらいがある。だから、眩しくて大切な、あの夏。広一くんとぼくと佳奈。セカイを知り始める一瞬を映した四篇。

佐藤多佳子著
神様がくれた指
都会の片隅で出会ったのは、怪我をしたスリとオケラの占い師。「偶然」という魔法に導かれた都会のアドベンチャーゲームが始まる。

佐藤多佳子著
黄色い目の魚
奇跡のように、運命のように、俺たちは出会った。もどかしくて切ない十六歳という季節を生きてゆく悟とみのり。海辺の高校の物語。

山田詠美著

アニマル・ロジック

泉鏡花賞受賞

黒い肌の美しき野獣、ヤスミン。人間動物園、マンハッタンに棲息中。信じるものは、五感のせつなさ……。物語の奔流、一千枚の愉悦。

山田詠美著

放課後の音符《キイノート》

大人でも子供でもないもどかしい時間。まだ、恋の匂いにも揺れる17歳の日々――。放課後にはじまる、甘くせつない8編の恋愛物語。

山田詠美著

ぼくは勉強ができない

勉強よりも、もっと素敵で大切なことがあると思うんだ。退屈な大人になんてなりたくない。17歳の秀美くんが元気溌剌な高校生小説。

山田詠美著

ベッドタイムアイズ・指の戯れ・ジェシーの背骨

文藝賞受賞

視線が交り、愛が始まった。クラブ歌手キムと黒人兵スプーン。狂おしい愛のかたちを描くデビュー作など、著者初期の輝かしい三編。

山田詠美著

蝶々の纏足・風葬の教室

平林たい子賞受賞

私の心を支配する美しき親友への反逆。教室の中で生贄となっていく転校生の復讐。少女が女に変身してゆく多感な思春期を描く3編。

山田詠美著

PAY DAY!!!

【ペイ・デイ!!!】

『放課後の音符』に心ふるわせ、『ぼくは勉強ができない』に勇気をもらった。そんな君たちのための、新しい必読書の誕生です。

川上弘美著
山口マオ絵
椰子・椰子
春夏秋冬、日記形式で綴られた、書き手の女性の摩訶不思議な日常を、山口マオの絵が彩る。ユーモラスで不気味な、ワンダーランド。

川上弘美著
おめでとう
忘れないでいよう。今のことを。今までのことを。これからのことを——ぽっかり明るくしんしん切ない、よるべない十二の恋の物語。

川上弘美著
ゆっくり
さよならをとなえる
春夏秋冬、いつでもどこでも本を読む。まごまごしつつ日を暮らす。川上弘美的日常をおおどかに綴る、深呼吸のようなエッセイ集。

川上弘美著
ニシノユキヒコの
恋と冒険
姿よしセックスよし、女性には優しくこまめ。なのに必ず去られる。真実の愛を求めさまよった男ニシノのおかしくも切ないその人生。

小川洋子著
薬指の標本
標本室で働くわたしが、彼にプレゼントされた靴はあまりにもぴったりで……。恋愛の痛みと恍惚を透明感漂う文章で描く珠玉の二篇。

小川洋子著
博士の愛した数式
本屋大賞・読売文学賞受賞
80分しか記憶が続かない数学者と、家政婦とその息子——第1回本屋大賞に輝く、あまりに切なく暖かい奇跡の物語。待望の文庫化！

村上春樹著　世界の終りとハードボイルド・ワンダーランド
谷崎潤一郎賞受賞（上・下）

老博士が〈私〉の意識の核に組み込んだ、ある思考回路。そこに隠された秘密を巡って同時進行する、幻想世界と冒険活劇の二つの物語。

村上春樹著　神の子どもたちはみな踊る

一九九五年一月、地震はすべてを壊滅させた。そして二月、人々の内なる廃墟が静かに共振する——。深い闇の中に光を放つ六つの物語。

村上春樹著　海辺のカフカ（上・下）

田村カフカは15歳の日に家出した。姉と並んだ写真を持って。世界でいちばんタフな少年になるために。ベストセラー、待望の文庫化。

いしいしんじ著　ぶらんこ乗り

ぶらんこが得意な、声を失った男の子。動物と話ができる、作り話の天才。もういない、私の弟。古びたノートに残された真実の物語。

いしいしんじ著　麦ふみクーツェ
坪田譲治文学賞受賞

音楽にとりつかれた祖父と素数にとりつかれた父。少年の人生のでたらめな悲喜劇を貫く圧倒的祝福の音楽、そして麦ふみの音。

いしいしんじ著　トリツカレ男

いろんなものに、どうしようもなくとりつかれてしまうジュゼッペが、無口な少女に恋をした。ピュアでまぶしいラブストーリー。

さくらももこ著
そういうふうにできている

ちびまる子ちゃん妊娠!? お腹の中には宇宙生命体＝コジコジが!?期待に違わぬスッタモンダの産前産後を完全実況、大笑い保証付！

さくらももこ著
憧れのまほうつかい

17歳のももこが出会って、大きな影響をうけた絵本作家ル・カイン。憧れの人を訪ねる珍道中を綴った、涙と笑いの桃印エッセイ。

さくらももこ著
さくらえび

父ヒロシに幼い息子、ももこのすっとこどっこいな日常のオールスターが勢揃い！ 奇跡の爆笑雑誌「富士山」からの粒よりエッセイ。

さくらももこ著
またたび

世界中のいろんなところに行って、いろんな目にあってきたよ！ 伝説の面白雑誌『富士山』（全5号）からよりすぐった抱腹珍道中！

重松清著
きみの友だち

僕らはいつも探してる、「友だち」のほんとうの意味――。優等生にひねた奴、弱虫や八方美人。それぞれの物語が織りなす連作長編。

重松清著
青い鳥

非常勤の村内先生はうまく話せない。でも先生には、授業よりも大事な仕事がある――孤独な心に寄り添い、小さな希望をくれる物語。

新潮文庫最新刊

上橋菜穂子著

天と地の守り人

（第一部 ロタ王国編・第二部 カンバル王国編・第三部 新ヨゴ皇国編）

バルサとチャグムが、幾多の試練を乗り越え、それぞれに「還る場所」とは——十余年の時をかけて紡がれた大河物語、ついに完結！

佐伯泰英著

知略

古着屋総兵衛影始末 第八巻

甲賀衆を召し抱えた柳沢吉保の陰謀を阻止せんがため総兵衛は京に上る。一方、江戸ではるりが消えた。策略と謀略が交差する第八巻。

篠田節子著

仮想儀礼（上・下）

柴田錬三郎賞受賞

金儲け目的で創設されたインチキ教団。金と信者を集めて膨れ上がり、カルト化して暴走する——。現代のモンスター「宗教」の虚実。

平野啓一郎著

決壊（上・下）

芸術選奨文部科学大臣新人賞受賞

全国で犯行声明付きのバラバラ遺体が発見された。犯人は「悪魔」。'00年代日本の悪と赦しを問うデビュー十年、著者渾身の衝撃作！

仁木英之著

胡蝶の失くし物

—僕僕先生—

先生が凄腕スナイパーの標的に?! 精鋭暗殺集団「胡蝶房」から送り込まれた刺客の登場で、大人気中国冒険奇譚は波乱の第三幕へ！

越谷オサム著

陽だまりの彼女

彼女がついた、一世一代の嘘。その意味を知ったとき、恋は前代未聞のハッピーエンドへ走り始める——必死で愛しい13年間の恋物語。

新潮文庫最新刊

奥薗壽子著
奥薗壽子の読むレシピ
鶏の唐揚げ、もやしカレー、豚キムチ、ナポリタン……奥薗さんちのあったかい食卓の物語とともにつづる、簡単でおいしいレシピ集。

髙島系子著
妊婦は太っちゃいけないの？
マニュアル的体重管理に振り回されることなく、自然で主体的なお産を楽しむために、知って安心の中医学の知識をやさしく伝授。

岩中祥史著
広島学
赤ヘル軍団、もみじ饅頭、世界遺産・宮島だけではなかった——真の広島の実態と広島人の実像に迫る都市雑学。蘊蓄充実の一冊。

春日真人著
100年の難問はなぜ解けたのか
—天才数学者の光と影—
難攻不落のポアンカレ予想を解きながら、「数学界のノーベル賞」も賞金100万ドルも辞退。失踪した天才の数奇な半生と超難問の謎。

H・ゴードン
横山啓明訳
オベリスク
洋上の巨大石油施設に爆弾が仕掛けられた。犯人は工作員だった兄なのか？　人気ドラマ「24」のプロデューサーによる大型スリラー。

J・アーチャー
戸田裕之訳
15のわけあり小説
面白いのには〝わけ〟がある——。時にはくすっと笑い、騙され、涙する。巨匠が腕によりをかけた、ウィットに富んだ極上短編集。

JASRAC 出0705716-113

なんくるない

新潮文庫 よ-18-18

平成十九年六月一日発行
平成二十三年六月十五日十三刷

著者 よしもとばなな

発行者 佐藤隆信

発行所 株式会社 新潮社
郵便番号 一六二—八七一一
東京都新宿区矢来町七一
電話 編集部(〇三)三二六六—五四四〇
読者係(〇三)三二六六—五一一一
http://www.shinchosha.co.jp

価格はカバーに表示してあります。

乱丁・落丁本は、ご面倒ですが小社読者係宛ご送付ください。送料小社負担にてお取替えいたします。

印刷・大日本印刷株式会社　製本・株式会社植木製本所

ISBN978-4-10-135929-8 C0193